DE KLEUR VAN DE HEMEL

Van dezelfde auteur:

De smaak van liefde

JAMES RUNCIE

DE KLEUR VAN DE HEMEL

the house of books

Oorspronkelijke titel
The Colour of Heaven
Uitgave
HarperCollins*Publishers*, Londen

Vertaling
Rob van Moppes
Omslagontwerp
Marlies Visser
Omslagillustratie
Photodisc
Foto auteur
Steve McDonough
Opmaak binnenwerk
ZetSpiegel, Best

ISBN 90 443 1329 0
D/2005/8899/101
NUR 302

Voor Marilyn

Zijn vrouwe die het schoonste kleinood is

Saffier, smaragd noch diamant,
Noch enig ander onbetaalbaar ding,
Topaas noch parel noch koningsrobijn,
Noch 't heilzaamste juweel, jaspis genaamd,

Noch amethist noch onyx noch basalt,
Die alle toch de schoonste willen zijn,
Is half zo mooi en nog niet half zo fijn
Als 't gelaat aan wie 'k mijn hart verpand.

Naast haar verbleekt het schoonste zonder meer;
Zoals zij 't sterrendak ver overstijgt;
En met haar stem het grootste leed verzacht.

Ze is schoner dan een bloemknop, dan een blad
O God behoed haar, schenk haar zedigheid
Vol van genade, evenals haar Heer!

Jacopo da Lentino, 1250
(naar een vertaling door Dante Gabriel Rosetti)

VENETIË

Niemand merkte het kind op.

Het was achtergelaten in een bootje dat nu, voorbewogen door niets dan het gekabbel en de stroming van het water in de smalle grachten, in de richting van de lagune dobberde.

Het was hemelvaartsdag in het jaar twaalfhonderdvijfennegentig, en de inwoners van Venetië paradeerden ter ere daarvan met karmozijnrode vaandels en felgele banieren door de straten. Kleermakers uitgedost in witte tunieken met purperen sterren, wevers in met zilverbrokaat afgezette pelerines en katoenspinners in mantels van bombazijn, afgewisseld door hoefsmeden, timmerlieden, slagers en bakkers, die zich zingend en schreeuwend een weg baanden naar het Piazza San Marco.

Het plein stond vol met potsenmakers, zwendelaars, waarzeggers en kwakzalvers; narren, jongleurs, toekomstvoorspellers en priesters. Alchemisten riepen uit dat barnsteenschraapsel bescherming bood tegen de pest en dat een tegen het naakte vlees gedrukte smaragd een vrouw kon behoeden voor een beroerte. Een tandarts met zilveren tanden leurde met een speciaal mengseltje dat, zo bezwoer hij, de waarde van alle metalen kon verhogen; een barbier toonde een gomsoort die kale mannen een weelderige bos haar kon teruggeven en een blote Engelsman verkocht pijnboompitten die, net zo zeker als de talisman van Gyges, onzichtbaarheid garandeerden.

Maar niemand had het kind opgemerkt.

Teresa had het kunnen negeren, het zoveelste in de steek gelaten kind dat een vroegtijdige dood in het Tehuis voor Vondelingen tegemoet ging; maar toen ze het eenmaal had gezien was er een schok van liefde door haar heen gegaan.

Ze keek hoe het bootje zacht tegen de kant van een kleine *rio* aanstiet en, alsof het louter haar komst afwachtte, even in een draaikolk gevangen leek. Misschien was het eindelijk het godsgeschenk dat zo lang op zich had laten wachten, een tegemoetkoming voor al het leed dat ze had geleden.

Ze keek om zich heen naar een moeder of vader, een dokter of een vreemdeling, maar te midden van de menigte waren zij de enigen die niet in beweging waren, de verlaten baby en de vrouw die nooit kinderen kon krijgen: Teresa, echtgenote van Marco de glasblazer, onvruchtbaar. Elk andere adjectief was overbodig. Haar lichtblauwe ogen, haar tengere lichaamsbouw, haar slanke schoonheid hadden niets te betekenen. Als de mensen haar wilden beschrijven gebruikten ze enkel dat ene woord: onvruchtbaar.

Ze knielde neer aan de waterkant en nam het kind in haar armen.

'*Calme, calme, mio bambino.*'

De baby tuitte verlangend naar melk zijn lipjes.

Teresa wist dat ze eigenlijk naar de kerk behoorde te gaan om de pastoor om raad te vragen, maar juist op dat moment zwaaiden de deuren open en kwam er een enorme processie psalmen zingend en God lovend naar buiten. Ze liet de pronkstoet aan zich voorbijtrekken en keek toe hoe een groepje kinderen die zilveren schalen met rozenblaadjes droegen haar fluisterend en kibbelend passeerden.

Teresa probeerde zichzelf wijs te maken dat ze geen behoefte had aan het kind. Dat ze het beter kon laten waar het was, zoals de moeder het had achtergelaten en zoals honderden andere moeders nog dezelfde dag overal in de stad kinderen in de steek zouden laten. Kinderen waren een last en een vloek, de straf voor seksuele uitspattingen. Ze jengelden. Ze hadden altijd honger. Als ze groot waren pikten ze je geld in en schoffeerden je. Dat had Marco haar altijd voorgehouden. Marco, haar echtgenoot, die net zo goed onvruchtbaar zou kunnen zijn. Daar waren ze nooit achter gekomen.

In gedachten hoorde ze hoe hij haar vermaande de baby terug te leggen, het kind over te laten aan de liefdadigheid, aan een andere moeder of aan de dood. Wat beduidde één kind meer of minder in een wereld waarin wij allen eenzaam worden geboren, lijden en sterven?

Ze ging op de trap van de kerk zitten.

Het kind was zo bleek en blond.

ꙮ

In de lagune voeren trompetters, troubadours en trommelaars langs het Dogenpaleis, zongen van schoonheid en verloren liefdes en begroetten zowel de opkomende als de ondergaande zon, moeders en dochters, maîtresses en dienstmaagden, de benevelden en beminden.

Sommige boten bereidden tableaus voor uit de christelijke mysteriespelen: de scheepsbouwers en timmerlieden zouden Noachs ark tijdens de zondvloed naspelen; de wijnkopers zouden spelen hoe Christus water in wijn veranderde, terwijl Marco's door één man te besturen *sandolo* was omgebouwd tot een mobiel theatertje waarin zijn collega-glasblazers 'De plundering van de hel' in scène zouden zetten.

Zijn vrienden waren gekleed als slempende duivels met horens, gemaakt van oude vissersmanden en hun blaaspijpen waren instrumenten van diabolische foltering geworden. Marco zelf speelde de duivel. Hij stond op de plecht, zijn met rook omgeven silhouet domineerde de boot en hij somde met luide stem een lijst op met folteringen die alle zondaars te wachten stonden. Rivaliserende gilden keken bewonderend toe hoe Marco vlammen uitspuwde, dronk, schreeuwde en zong over pijniging en rampspoed. Hoe dichter de andere boten voorbij zeilden, hoe theatraler zijn gebaren werden, totdat hij de verleiding niet langer kon weerstaan en de precieze locatie van de mond van de hel begon te beschrijven.

Hij draaide zich om, boog zich voorover en toonde zijn blote achterste aan ieder die het zien wilde, terwijl hij riep:

'Guarda! Guarda!
La bocca d'inferno è nel mio culo!'

Aangemoedigd door zijn maten, liet hij dat gebaar triomfantelijk vergezeld gaan van een duidelijk hoorbare scheet.

'*Ecco un fracasso del diavolo!*'

Naarmate de dag voortschreed, en hoe meer rode wijn er werd gedronken, hoe grappiger zulke fratsen leken, totdat het moment aanbrak waarop de jongste glasblazer de hel zou plunderen. De jonge Pietro dook, een enorme glazen crucifix torsend, tevoorschijn van onder het zeil (dat nu het vaandel van de Verrijzenis werd) en schreeuwde:

'Wij hebben deze crucifix geblazen zo zeker als Christus de poorten des Doods zal opblazen.'

Toen sloeg hij zijn collega's met het kruis en ze doken in het water van de lagune, als weinig overtuigend bewijs van de kracht van de doop en de verlossing.

'De lucht is onze hemel, deze wateren zijn ons thuis. Opdat niemand de beloften ontkent die wij hebben gedaan!' riep Pietro.

De *Bucintoro*, de vergulde staatsiesloep van de Doge, zeilde voorbij de spartelende glasblazers ter voorbereiding van het ceremoniële huwelijk tussen Venetië en de zee. De boot voer uit in de richting van het Lido, met een rood baldakijn, glinsterend van de gouden riviergoden, zefieren, cherubijntjes en zeemeerminnen, waarboven de Leeuw van St. Marcus wapperde.

De Doge ging op de plecht van zijn schip staan en schoof de ceremoniële glazen ring van zijn vinger.

Toen verkondigde hij: '*O Zee, wij huwen u ten teken van onze bestendige heerschappij*,' en wierp de ring in de Adriatische Zee.

De *Bucintoro* keerde om, haar riemen glinsterend in het licht. Marco en zijn mannen, die inmiddels veilig op hun boot waren teruggekeerd, hieven een *fiasco* wijn, alsof ze op de gezondheid van hun leider dronken en bereidden zich, voldaan over hun optreden, voor om naar Murano terug te zeilen.

ꙮ

Terwijl ze daarmee bezig waren, knoopte Teresa haar blouse open en kneep in haar borst. Het kind in haar armen wrong zich in alle bochten. Ze zou het kind beter naar haar zuster kunnen brengen, want waar Teresa in de verste verte nooit zwanger werd, leek Francesa een nimmer aflatende stroom kinderen te moeten baren. De melk vloeide zo rijkelijk uit haar dat ze als min werkte om haar gezin te ondersteunen.

Teresa begon in de richting van de Misericordia te lopen. Ze keek hoe de mensenmassa over de brug stroomde, op weg om voor spertijd thuis te zijn, te eten en te drinken, hun indrukken van de dag uit te wisselen, te schertsen misschien, te lachen of zelfs om de liefde te bedrijven.

Boten voeren de lagune in.

Aanvankelijk meende haar zuster dat ze voor iemand anders even op het kind paste. 'Waar komt die vandaan?'

'Dat weet ik niet.'

'Wat heb je gedaan?'

'Ik heb eindelijk een kind.'

'Hoe kan dat nou?'

Teresa probeerde zich niet te laten kennen. 'Ik heb het gevonden. Bij de Kerk van de Heilige Apostelen.'

Francesca geloofde haar oren niet. 'Als ik had geweten dat je zo wanhopig was, had je er wel een van mij onder je hoede kunnen nemen.'

'Ik wil er geen van jou, ik wil er een van mezelf.'

'Is het een jongen of een meisje?'

'Ik weet het niet.'

'Heb je dat niet gecontroleerd? Geef hier. Laat eens kijken.'

Teresa reikte haar zuster het kind aan.

'Het is een jongetje. Hij heeft honger.' Francesca knoopte

haar blouse open en legde de baby aan haar borst. Hij dronk luidruchtig, hongerig. Teresa keek naar het zuigende kind en voelde de eerste prikkels van afgunst.

'Ik heb altijd al geweten dat je iets stoms zou doen.'

'Het is niet stom. Kijk hem nou toch eens.'

'Je zult me moeten betalen,' eiste Francesca.

De twee zusters keken toe hoe het kind, door honger gedreven, gretig dronk. Teresa was voor de eerste maal verbaasd over het lawaai: het geproest en gesteun, het verlangen en de kracht van een baby aan de borst die het leven zelf opzuigt. 'Doet het pijn?' vroeg ze.

'Natuurlijk doet het dat. Maar je went eraan. Hij eet flink. En vervolgens wordt hij misselijk.'

'Misselijk?'

Dit is jou allemaal bespaard gebleven: de melk en de pijn van het moederschap, de jaloerse echtgenoot, het geblèr in de nacht. Kwaaltjes. Ziektes. Dood. Waarom wil je een kind?'

'Om de vreugde,' zei Teresa. 'Opdat hij mij vreugde zal schenken.'

Marco had al verschillende flessen wijn op toen hij bij de Fondamenta Santa Caterina aanlegde om zijn vrouw op te pikken. Soms kon hij maar moeilijk geloven dat hij met deze vrouw was getrouwd. Hij vroeg zich af of hij misschien toch beter met haar zuster had kunnen trouwen, een vrouw die goed in het vlees zat, met enorme borsten, stevige heupen en een lijf waarin een man geheel kon opgaan. Maar wilde hij wel al die baby's en die melk. Bij wijze van groet hield hij een fles wijn omhoog.

Teresa rilde zenuwachtig en maakte een zuinig wuivend gebaar. Dat is mijn echtgenoot, dacht ze, alsof de gebeurtenissen van die dag hen zowel jegens de stad als jegens elkaar tot vreemden hadden gemaakt. Ze leken toch al nooit echt goed bij elkaar te passen. Teresa, mager, gespannen en vogelachtig; haar echtgenoot breed, getaand en gespierd, als Vulcanus of een of andere riviergod.

'Heb je me gezien?' vroeg hij.

Teresa was vergeten dat ze misschien zou moeten liegen. 'Er waren zoveel mensen. En je was zo ver weg.'

'Ik heb je toch gezegd dat je met ons mee had moeten gaan.'

'Er was geen plaats. Het was iets voor mannen. Dat weet je toch.'

'Dat zou niet hebben uitgemaakt.'

'Heb je de Doge gezien?' vroeg Teresa.

'Nou en of. En hij heeft ons ook gezien. Het was geweldig.'

Terwijl haar man vertelde wat hij die dag allemaal had beleefd, besefte Teresa dat niets van wat hij zei tot haar doordrong. Ze kon uitsluitend aan het kind denken. Misschien zou ze het hem nu moeten vertellen, dacht ze, op dit verstilde moment, hier in de lagune. Ze kon bekennen of zelfs uitschreeuwen dat de baby de enige was die iets voor haar betekende, dat die belangrijker was dan zijn liefde of haar eigen leven.

Ze vroeg zich af hoe het zou zijn om het hem te vertellen. Ze wilde van blijdschap bijna in lachen uitbarsten en dit nieuwe geluk delen met de man die ze beminde. Maar ze wist dat het Marco angst zou aanjagen, dat zijn stemming zou omslaan en dat het de dag zou bederven. Hij zou over geld beginnen. Hij zou haar vragen de baby terug te brengen. En hij zou de werkelijke reden voor zijn angst niet prijsgeven: het feit dat een zoon hun huwelijk zou kunnen veranderen, dat ze niet langer alleen zouden zijn.

Hij gooide een lijntje uit en begon te vissen.

Terwijl de boot op het water dobberde, dacht Teresa aan het kindje dat ze in haar armen had gehad. Hoewel ze hevig naar hem verlangde, wist ze dat ze daar niets van mocht laten merken, alsof de onthulling van zo'n geheim de schoonheid ervan zou vernietigen.

Eindelijk was er beweging waarneembaar aan het einde van de lijn en haalde Marco een steur naar boven die, met de buik glimmend in het tanende licht, midden in de lucht spartelde alvorens hij op de bodem van de boot werd gesmakt.

'*E basta*,' riep Marco nog steeds uitgelaten.

Een briesje stak op en blies over de lagune. Teresa keek hoe haar man de hengel opborg en harder in de richting van het eiland begon te roeien.

'Heb je vanochtend nog hout gezocht?' vroeg hij.

Teresa wist dat het een belangrijke vraag was, hoewel ze zich niet meer kon herinneren waarom. 'Elzenhout,' antwoordde ze.

'Voldoende voor vanavond en morgen?'

'Ruimschoots,' antwoordde Teresa.

'Dan ben ik tevreden.'

Ze legden de *sandolo* vast en Marco pakte de hand van zijn vrouw. Samen wandelden ze over de Fondamenta dei Vetrai, voorbij de ovens van alle glasblazersfamilies die in rivaliteit en solidariteit op een rij stonden, totdat ze aankwamen bij hun huis dat oplichtte tegen de ophanden zijnde nacht en het geheim onuitgesproken tussen hen in lag.

ꙮ

Teresa ging elke week bij haar zuster op bezoek. Francesca leerde haar hoe ze de baby moest vasthouden, hoe ze hem moest kalmeren als hij huilde, hem moest wiegen en troosten. Maar Teresa had geen aanmoediging nodig. Als ze het jongetje in haar armen hield besefte ze dat het kind niet alleen van haar begon te worden, maar dat zij ook het kind toebehoorde. Ze had zichzelf weggegeven.

'Je kijkt alsof je nog nooit eerder een baby hebt gezien,' merkte haar zuster op.

'Dat heb ik ook niet. Niet zo.'

Teresa bestudeerde elk vingertje, elk teentje. Ze voelde hoe zwaar het hoofdje van haar nieuwe zoon was en liet het rusten in haar handpalm. Haar ogen staarden in de verte alsof hij van een andere wereld was gekomen en haar geheimen kende. Hoe kon ze ooit met zo'n overweldigend gevoel van liefde leven?

Hoe kon ze ooit genoeg voor hem doen? En wat als hij het te warm had, te veel honger leed of te veel dorst had? Hoe moest ze hem beschermen tegen de koorts? En als hij nu eens ziek werd? Als hij nu eens zou doodgaan?

Al snel kon Teresa geen moment meer zonder de jongen. Alleen zij hield voldoende van hem om hem te kunnen beschermen tegen de gevaren van de wereld. Alleen zij wist hoe het was om hem waarlijk lief te hebben en te verzorgen. De ongerustheid nam zulke grote vormen aan dat ze elke keer als ze moest vertrekken in paniek raakte.

'Je houdt te veel van hem,' waarschuwde Francesca, maar Teresa bracht daar tegenin dat je nooit te veel van iemand kon houden.

Daar was haar zuster het niet mee eens. 'Dat kan wel. Geloof me nou maar.'

Teresa voelde haar afkeuring.

'Jij had je vrijheid. Waarom zou je die prijsgeven?' vervolgde Francesca.

'Omdat ik moet liefhebben.'

'En het kind?'

'Het kind zou zijn gestorven.'

'Het gasthuis zou hem hebben opgenomen.'

'Je weet dat dat een leugen is. En als ze dat zouden hebben gedaan... je weet wat er dan gebeurt. Dat overleven ze nooit.'

Francesca haalde haar schouders op. 'Het is maar een kind.'

'Wat?'

'De een sterft, de ander blijft in leven.'

'Hoe kun je zo harteloos zijn?'

'Omdat ik weet wat het is om te veel lief te hebben.'

'Dan lijd jij een treurig bestaan.'

'Ik leef in ieder geval niet in angst,' zei Francesca op gedempte toon. 'Wanneer vertel je het aan Marco?'

'Als ik de jongen mee naar huis neem.'

'Zeg je er van tevoren niets over?'

'Nee. Ik wil niet dat er ruzie van komt.'

ꙮ

Marco leefde een leven vol zekerheden: werk, geloof en huwelijk. De meeste problemen waarmee de mens werd geconfronteerd konden door de rede of het lot worden verklaard en toen hij Teresa met het kind in haar armen zag aankomen, was hij er dientengevolge van overtuigd dat het een nieuw nichtje of neefje betrof.

'Francesca?' vroeg hij. 'Ze weet van geen ophouden.'

'Het kind komt van Francesca maar zij is niet de moeder.'

'Wie dan wel?' Hij glimlachte. 'Of heb je het soms gestolen?'

'Dat weet niemand.'

'Wat moet jij er dan mee?'

'Ik wil hem houden,' zei Teresa plotseling.

'Dat geeft geen pas.' Ze moest een grapje maken.

'Ik heb hem gevonden,' vervolgde ze op bedaarde toon. 'Zes maanden geleden. Op hemelvaartsdag.'

'En wat heb je er toen mee gedaan?'

'Francesca heeft hem voor me gespeend.'

'Dan mag Francesca hem houden.'

'Nee.'

Het was de eerste keer dat ze tegen hem in opstand kwam.

Marco deed een stap achteruit. 'Was je meteen al van zins hem te houden – zonder met mij te overleggen, zonder mijn permissie te vragen?'

'Ik wilde het je wel vertellen maar ik wist dat je kwaad zou worden.'

Waarom begreep hij het niet? Wist hij dan niet meer hoe radeloos het ontberen van een kind haar had gemaakt? 'Ik moet hem houden. Hij is een zoon. Voor ons allebei.'

'Voor mij niet.'

'Alsjeblieft,' smeekte zij, en toen had ze er onmiddellijk spijt van dat ze zo'n onderdanige toon had aangeslagen.

'Geef hem maar aan de pastoor. Of aan een andere moeder. Of breng hem terug naar je zuster.' Hier was hij al die jaren bang voor geweest: een andermans kind.

'Dat kan ik niet,' antwoordde Teresa simpelweg.

'Als jij hem niet weggeeft, doe ik het wel,' antwoordde Marco, alsof daarmee de zaak was afgedaan.

'Nee,' zei ze.

'Hier kan hij niet blijven,' herhaalde hij.

'Kijk hem nou toch eens.'

'Dat kan ik niet,' zei Marco vastberaden. 'Ik vertik het.'

'Alsjeblieft,' smeekte Teresa. 'Kijk nou.'

Marco keek op en bestudeerde het kind. Hoe kon hij de vader zijn van iemand die er zo totaal anders uitzag dan hijzelf? Hij probeerde haar te overreden. 'Begrijp je dan niet wat voor een schande dat zou betekenen?'

Teresa keek neer op het kind en toen recht in de ogen van haar echtgenoot. 'De mensen zullen het ons heus wel vergeven.'

'Niet waar,' hield Marco staande. 'Ze zullen denken dat je een hoer bent.'

'Ze weten dat ik nooit zwanger ben geweest. Ze hebben me gezien. Waarom word ik anders onvruchtbaar genoemd?'

'Dan zullen ze denken dat het van mij is, dat ik met een ander heb geslapen.'

'Dat kan me niks schelen.' Teresa was opeens weer vinnig, vastbesloten. 'Als je van mij hield, zou je ook van het kind houden.'

'Je weet dat ik van je houd. Maar hoe kan ik van een kind houden dat niet van mij is? Verg dit niet van me. Heb ik niet genoeg voor je gedaan? Je in de watten gelegd? Van je gehouden?'

'Maar begrijp je het dan niet?'

'Alsjeblieft...' bepleitte Marco.

'Nee. Ik vraag het je. Ik smeek het je,' antwoordde zijn vrouw. 'Ik zal alles doen. Je hoeft niet tegen hem te praten. Je hoeft zelfs niet eens naar hem te kijken als je dat niet wilt. Als ik maar bij hem mag zijn.'

'Liever dan bij mij.'

'Het is geen keuze tussen jou en het kind.'

'Daar lijkt het anders wel op.'

'Nee,' zei Teresa nogmaals. Ze besefte voor de eerste maal dat de klank van dat woord haar best beviel: het staccato verzet dat er in besloten lag. 'Hij kan je helpen met je werk. We zullen een leerling nodig hebben.'

'Praat geen gekheid.'

Het kind werd wakker en begon te huilen.

'Kijk nu eens aan,' zei Marco.

'Ik zal me om hem bekommeren. Jij hoeft helemaal niets te doen. Ik zal hem bij je weghouden. Je hoeft je om hem totaal geen zorgen te maken.'

Teresa nam de baby mee naar de achterkamer van het huis en voedde hem met het in de melk geweekte brood dat ze van tevoren had klaargemaakt. Ze zou hem die nacht ergens in het huis verbergen, bij hem blijven en hem tegen haar man in bescherming nemen.

Ze legde de baby op een omgekeerd houten bankje dat ze met dekens had bekleed en bedekt. Bij haar zou hij veilig zijn. Ze zou de hele nacht bij hem blijven. Misschien zou ze nooit meer gezond slapen. Haar levenstaak was het beschermen van dit kind: tegen haar echtgenoot en tegen de wereld.

'Paolo,' zei ze op gedempte toon. 'Ik zal je Paolo noemen.'

ꕥ

Toen Teresa ontwaakte wist ze dat er iets niet in de haak was.

Haar zoon was verdwenen.

Dit was de straf voor alle vervoering die ze hem had geschonken. Ze kon het gelach horen van de mannen die zich beneden aan het werk zetten. Ze moest hun vragen, nee, hen dwingen haar te vertellen wat er was gebeurd.

'Waar is Marco,' vroeg ze de *stizzador*, die bezig was het vuur op te stoken.

De man haalde zijn schouders op.

'Heb je het kind gezien?' vroeg ze aan de leerjongen.

'De bastaard?'

'Niet de bastaard. Het kind.'

Ze voelde de woede in zich oplaaien. Zo spraken zij er dus over. Dat had de leerjongen al in de smiezen.

'De vondeling.' Het was net alsof hij haar terechtwees.

'Mijn *kind*,' gilde ze.

Even was het stil. De twee mannen wendden zich af.

Teresa liep naar buiten en keek de straat in. Het begon te regenen, plotseling en hard, hetgeen haar een ogenblik in verwarring bracht. Ze probeerde zich voor te stellen hoe ver Marco in zijn woede zou kunnen gaan en paniek maakte zich van haar meester. Ze snelde door de straten en vroeg het aan iedereen die naar haar wilde luisteren. Ze vroeg aan de botenbouwers, de wijnhandelaren, de bakkers en de slagers; aan de metselaars, de schoenmakers, de kuipers en de timmerlieden; aan de smeden de vissers, de kapper en aan de chirurgijn of zij haar echtgenoot of haar kind hadden gezien. Ze vroeg het aan de kinderen en de omaatjes, aan de lammen en aan de zieken, maar het was net alsof het hele eiland tegen haar samenzwoer om de ontdekking van de waarheid te voorkomen. Maar Eliana, de waarzegster die nooit een man had kunnen vinden, Felicia de kantwerkster uit Burano die een slecht huwelijk had, Franco de ijzersmid, Sandro de kuiper, Domenico de hoefsmid, Francesco de koopman, Gianni de wijnhandelaar, Filippo de woekeraar en zelfs Simona, die door de helft van het eiland werd beklaagd en door de andere helft benijd omdat ook zij geen kinderen kon krijgen, konden haar niet helpen in haar zoektocht.

De regen drong in haar haar en spatte tegen haar blote benen. Er was geen plek waar ze nog niet was geweest, geen mens meer die ze het kon vragen. Toen bedacht ze dat ze wel eens op de boot zou kunnen gaan kijken. Wat stom dat dat nu pas bij haar opkwam! Was dat niet de eerste plek waar ze had moeten zoeken?

Haar sandalen waren doordrenkt van het water en ze bleef staan om ze uit te trekken, waarna ze blootsvoets door de glibberige straten rende. Misschien lag Paolo in de boot te slapen en wachtte hij op haar, zoals hij ook op haar had gewacht toen ze hem voor het eerst had gevonden.

Die herinnering schokte haar.

Ze vertraagde haar pas, alsof ze de onvermijdelijkheid van zijn afwezigheid niet onder ogen durfde zien. Hoe kon Marco zoiets doen?

Ze bleef staan, ademde diep in en liet de regen op zich neerdalen.

Ze sloot haar ogen en bad dat de boot op zijn plaats zou liggen en dat ze haar echtgenoot er met het kind op zou aantreffen.

Maar de *sandolo* was weg.

Misschien had ze niet hard genoeg gebeden.

Teresa begreep dat ze maar het beste naar de kerk van San Donato kon gaan om aan een stuk door te bidden. Ze zou God laten weten hoeveel zij van haar zoon hield.

Het regende zo hard dat ze geen hand voor ogen kon zien. Haar lichaam huiverde toen ze voortsnelde, alsof ze zich met het afschudden van de regen eveneens van haar ongerustheid kon ontdoen.

Ze ging de kerk binnen, doopte haar vingers in de kom wijwater, maakte een kniebuiging en snelde naar de voorzijde van het kerkschip.

Voor het altaar knielde ze neer en wierp zich ter aarde.

'Maria, Moeder Gods, Moeder aller Moeders, sta mij bij in mijn vertwijfeling.

Maria, Moeder Gods, Moeder aller Moeders, die weet wat het is om een zoon lief te hebben, sta mij bij in mijn vertwijfeling.

Maria, Moeder Gods, Moeder aller Moeders, die weet wat het is om een zoon te verliezen, sta mij bij in mijn vertwijfeling.'

Ze strekte in overgave haar armen uit.

Teresa zou zich pas weer bewegen als Paolo haar zou zijn teruggegeven. Ze zou tijdens alle kerkdiensten, dag en nacht blijven liggen totdat Marco, God en het eiland mededogen zouden hebben.

Gedurende het eerste uur nam niemand er notitie van. Blijken van devotie waren niet ongebruikelijk en de pastoor juichte haar vroomheid bijna toe. Maar naarmate de dag vorderde, begonnen de mensen te fluisteren dat het vreemd was dat ze totaal niet had bewogen. Een vrouw merkte op dat een glazen kraal van Teresa's rozenkrans op de vloer aan diggelen was geslagen. Een ander vroeg zich af of zij misschien dood was.

Tegen de middag verklaarde een oudere dame dat ze nog nooit zulk een vroomheid had gezien; een ander merkte op dat de op de grond uitgestrekte vrouw wel heel wat zonden te vergeven moest hebben. Ten slotte stelde iemand voor naar haar man te gaan en hem op de hoogte te stellen.

De pastoor werd gewaarschuwd en hij stemde ermee in zelf Marco erbij te halen. Het was de taak van een echtgenoot om zich om zijn geschifte vrouw te bekommeren, niet van een geestelijke.

Tegen de tijd dat hij terugkeerde, had zich onder het mozaïek van San Donato een hele mensenmenigte verzameld.

Teresa's hoofd rustte in een cirkel van purpersteen, hetgeen maakte dat het, in de ogen van de misprijzenden, leek alsof het bloed er al uit was gevloeid. De gelovigen zouden er een nimbus in kunnen zien.

Toen arriveerde Marco, die zich een weg door de menigte moest banen.

Halverwege het schip bleef hij staan.

'Sta op, vrouw.'

Teresa gaf geen krimp.

'Sta op, zei ik.'

Marco keek naar de pastoor, die hem gebaarde naderbij te komen en hem aanmoedigde zich bij zijn vrouw op de grond te voegen. Marco vertrouwde het niet helemaal.

De pastoor gebaarde nogmaals.

Met tegenzin kwam Marco naar voren, bleef staan en ging naast zijn vrouw op zijn hurken zitten, waarbij het gekraak van zijn knieën door de kerk galmde.

Teresa kneep haar ogen stijver dicht.

Marco strekte zich naast haar uit. De kou die oprees van de vloer verkilde zijn botten.

'Het kind is in veiligheid,' zei hij uiteindelijk.

Teresa zei nog steeds geen woord.

'In veiligheid,' herhaalde Marco.

Wat moest hij beginnen?

'Hij is bij de monniken op het Eiland van de Twee Wijnstokken. Zij zullen voor hem zorgen.'

Teresa voelde dat de aanwezigen naar haar keken, maar ze wist dat ze daar moest blijven liggen, volkomen bewegingloos, totdat haar echtgenoot al haar eisen inwilligde. Als ze nu opgaf zou ze Paolo nimmer meer terugzien.

'Alleen ik kan voor hem zorgen...'

Marco lag op de vloer zonder te weten wat hij moest beginnen. Hij luisterde hoe zijn vrouw net zo ademhaalde als hij wanneer hij de slaap niet kon vatten; en in het koude drama van dat moment drong het tot hem door dat hij wellicht nooit zoveel van zijn vrouw had gehouden als juist toen. Zij was bereid door het stof te kruipen of zelfs zich dood te vechten voor dat kind. Hij maakte aanstalten zich op te richten en probeerde haar hand te pakken, maar die lag uitgestrekt, met de palm omlaag tegen het marmer. 'Het spijt me.'

'Geef mij mijn zoon.'

Marco probeerde Teresa van de vloer overeind te trekken, maar ze weigerde nog steeds zich te bewegen. Op het punt los te laten, ervan overtuigd dat zijn vrouw niets zou doen zolang hij het kind niet naar de kerk haalde en terug in haar armen legde, antwoordde hij met twee woorden: 'Onze zoon.'

Teresa kneep in zijn hand. Haar linkerarm boog zich bij de elleboog alsof ze zich wilde gaan oprichten. Ze bewoog traag, alsof ze wilde controleren of ze daar nog toe in staat was, om zich ervan te vergewissen dat dit geen droom was. Ze stond op van de grond en sloeg haar armen om haar man heen.

'Laat mij erheen gaan. Laat mij Paolo thuisbrengen.'

'Vergeef me,' zei Marco snikkend.

Teresa drukte hem tegen zich aan. 'Ik zal nooit opnieuw ook maar iets meer van je verlangen.'

De mensen onder het mozaïek begonnen weg te lopen. Marco en Teresa omhelsden elkaar en sterkten elkaar tegen alle twijfels en angsten die in hun toekomst besloten lagen.

ꙮ

De volgende dag roeide Teresa de lagune over om haar zoon op te halen. Ze kon het Eiland van de Twee Wijnstokken vanaf Murano zien liggen. De klokkentoren die boven de cipressen uitstak hield ze de hele overtocht angstvallig in het oog uit angst dat hij zou verdwijnen zodra ze maar even een andere kant opkeek.

Ze meerde de boot af en liep dwars door de moerassen. Geleidelijk aan werd de grond steviger. Terwijl ze liep vloog een koppeltje vinken op uit het gras en de lucht was vol van de geluiden van gierzwaluwen, zwaluwen en cicaden. Voor haar bevond zich een bosje olijfbomen.

Teresa bleef staan.

Onder de bomen lagen zes open doodskisten, elk met een monnik erin.

Wellicht was het eiland besmet en hadden de muggen en vliegen van het vasteland een infectie door de lucht aangevoerd. Had Marco gelogen en haar hierheen gezonden om te sterven? Was het eiland verlaten? En waar was Paolo?

Opeens ging een van de dode monniken rechtop in zijn kist zitten en zong.

'Geloofd zij mijn Heer voor onze zuster de maan, en voor de sterren die hij helder en wonderschoon aan het hemelfirmament heeft geplaatst.'

Teresa slaakte een gil.

Een tweede monnik richtte zich op.

'Geloofd zij mijn Heer voor onze broeder de wind, en voor de lucht en de wolken, de windstiltes en alle weersomstandigheden waarmee Gij het leven in alle schepselen doet voortbestaan.'

Teresa bevond zich midden in een indrukwekkende herrijzenis, alsof de Dag van het Laatste Oordeel zonder voorafgaande waarschuwing was aangebroken. Iedere monnik ging om de beurt met uitgestrekte armen rechtop zitten en staarde omhoog naar de hemelen boven zich.

'Geloofd zij mijn Heer voor onze zuster het water, die ons heel goed van dienst en bescheiden en dierbaar en schoon is.'

'Geloofd zij mijn Heer voor onze broeder het vuur, waarmee Gij ons licht in de duisternis schenkt; en die helder en aangenaam en krachtig is.'

'Geloofd zij mijn Heer voor onze moeder de aarde, die ons gezond en in leven houdt en ons vele soorten vruchten en bloemen in vele kleuren en gras schenkt.'

Loof en zegen de Heer en zeg Hem dank en dien hem met grote nederigheid.'

De eerste monnik stapte uit zijn graf en liep, met de ogen neergeslagen op haar toe.

'*Pax et bonum*, vrede en de goede dingen des levens, zuster...'

'Mijn kind...' stamelde Teresa.

'Onze dagelijkse gebeden...' verklaarde de dichtstbijzijnde monnik, eveneens uit zijn graf stappend.

'Ik ben broeder Matteo en dat is broeder Filippo.' Hij maakte een gebaar in de richting van de eerste monnik.

De anderen stonden nu ook op uit hun kisten, maar geen van hen keek haar recht in de ogen. Teresa vroeg zich af of ze soms blind waren.

'En daar zijn ook broeder Giuseppe, broeder Giovanni, broeder Jacopo en Broeder Gentile.'

'Ik ben Teresa, de echtgenote van Marco Fiolaro.'

'Dan bent u gezegend,' zei Matteo, starend naar het stukje grond waarop hij stond.

Er volgde opnieuw een stilte en de monniken stonden met neergeslagen ogen te glimlachen alsof daarmee alles gezegd was.

Ten slotte kwam broeder Matteo met een verklaring op de proppen. 'Wij rusten om ons voor te bereiden op de eeuwige sluimer, waarin onze broeder Franciscus ons is voorgegaan.'

'Mijn kind – mijn man heeft een kind gebracht...' stamelde Teresa.

'Is hij van u?'

'Ik weet dat hij gisteren is gebracht en dat hij mij nodig heeft. Ik moet hem voeden.'

'Wij hebben in zijn onderhoud voorzien. De melk van zuster Geit, de honing van broeder Bij.'

'Waar is hij?' vroeg Teresa, wanhopig trachtend hen in beweging te krijgen, maar de monniken bleven afwachtend staan glimlachen. Misschien was dit hun gooi naar het eeuwige leven, overwoog Teresa. Er was geen enkele haast om ook maar iets te ondernemen.

'Ik geloof dat het kind zich in de bibliotheek bevindt,' beaamde Matteo, en opeens begonnen de monniken allemaal tegelijk te praten, alsof ze verward commentaar gaven.

'Bij broeder Cristoforo.'

'Hij is oud.'

'Hij heeft een flink middagdutje gedaan.'

'Tijd te over in het hiernamaals,' voegde Giovanni eraan toe.

'En toch is hij voorbestemd voor een glorieuzer bestaan.'

'Zuster Dood, de Poort des Levens.'

Teresa vroeg zich af of ze allemaal op het punt stonden weer te gaan liggen, alsof deze ontmoeting voldoende was voor een dag. Misschien wachtten ze totdat zij iets zou ondernemen, of bestond er een ritueel waarvan zij zich niet bewust was.

'Wilt u broeder Cristoforo ontmoeten?' vroeg Matteo.
'Heeft hij mijn zoon?'
'Wij hebben hem aan Cristoforo's zorgen toevertrouwd.'
'Mag ik hem zien? Mag ik de baby mee naar huis nemen?'
'Rust eerst een poosje uit. Blijf bij ons en bid.'
Teresa's vastberadenheid verschafte haar de kracht om zich te verzetten. 'Ik moet Paolo zien.'
'Volgt u mij dan maar.'
Ze liepen tussen de olijfbomen door naar het klooster. Broeder Matteo wees op een trap voor hen en zei Teresa op te passen dat ze niet struikelde.
'Wees voorzichtig...'
Teresa keek omlaag.
'Broeder Mier.' Een kleine mierenkolonie zocht zich een weg over de traptree en de monniken bleven wachten tot ze voorbij waren.
Uiteindelijk bereikten ze de deur van de bibliotheek. Matteo duwde hem open en Teresa zag een oudere monnik die zat te lezen en daarbij halverwege tussen zijn oog en het manuscript een stuk kwarts vasthield in de vorm van het kleinste cirkelsegment van een glasbol. Aan zijn voeten stond een klein houten geïmproviseerd wiegje. De monnik keek op.
'Mijn kind....?' vroeg ze.
'U bent de moeder,' verklaarde de monnik. Van een vraag was geen sprake; het was de vaststelling van een feit.
'Dat ben ik, vader.'
'Broeder,' verbeterde de monnik haar.
Hij bukte zich en tilde de baby op. 'Zo'n kortstondig verblijf, zo'n gelukkig kind.'
Hij legde Paolo in Teresa's armen. 'God geve dat u goed voor hem zorgt, zuster.'
Teresa hield hem vast en de golf van liefde overspoelde haar opnieuw. 'Paolo,' zei ze op zachte toon.
Toen Teresa opkeek zag ze dat alle monniken met afgewend gelaat in de deuropening stonden. Ze wendde zich opnieuw tot broeder Cristoforo.

‘Zijn ze blind?’ vroeg ze.

De oude monnik lachte. ‘Nee, niet blind. Ze kunnen heel goed zien. Maar hun ogen zijn slechts gericht op de aarde en op de hemelen.’

‘Waarom willen ze mij niet aankijken?’

‘Onze broeder Franciscus kende de gelaatstrekken van alle vrouwen. Hij vreesde voor zijn lijfelijkheid, broeder Vlees. Ikzelf ben te oud voor verleiding, maar mijn broeders’ – hij glimlachte – ‘willen de vonk van het bedwongen vlees niet opnieuw doen ontbranden.’

‘Ze zijn bang voor mij...’

‘Niet voor u, maar voor de verzoeking.’

‘Ik ben maar een moedertje.’ Teresa schoot bijkans in de lach. ‘Ik ben te oud voor dat soort dingen. Ik ben bijna dertig.’

‘Wij hebben geleerd behoedzaam te zijn,’ zei de monnik op ernstige toon. ‘Een man weet maar nooit wanneer de verlokking des vlezes zich onoverwinnelijk betoont.’

‘Ik geloof niet dat zij van mij gevaar te duchten hebben.’

De monnik maakte een wegwuivend gebaar met zijn hand. ‘Mevrouw, stel ons niet op de proef. Laat ons de Heer dienen en onze zielen redden.’

‘Mag ik gaan?’

‘Neem uw kind met u mee en zeg dank.’ Toen sloeg hij een kruis en gaf haar de zegen van St. Franciscus. ‘*Laat hem de wegen des Heren bewandelen.*’

MURANO

Het waren kinderjaren vol broekland en vuur.

Bijna vanaf het moment dat hij kon lopen droeg Paolo zijn steentje bij in de glasfabricage van het familiebedrijfje en verzamelde hij zeewier en zeevenkel langs de kusten van het eiland. Hij zocht in de moerassen kiezelstenen voor de kiezelaarde, terwijl zijn moeder takken van iepen, elzen en wilgen afsneed om als brandstof te dienen.

De oven brandde van november tot juli dag en nacht. Marco werkte met ontblote borst en blies en vormde het glas achter zijn werkbank. Paolo genoot van de wijze waarop de dikke glazige brij in de vlammen werd gezuiverd en transparant en helder werd. Hij liet het zand met zijn oneindig gevarieerde structuur tussen zijn vingers door glijden en beproefde zijn ruwheid en consistentie. Hij bekeek elke component nauwkeurig en verbaasde zich over de zachtheid van de soda, de alchemistische kwaliteit van rood lood, de dreiging van arsenicum. Hij was dol op de wijze waarop het glasmengsel, de fritte, smolt en knisperde in de hitte en even grillig en schuimend werd als het water in de lagune en in de oven naar hem toe stroomde, de heetste zee die hij ooit had gezien.

Toen hij ouder was sorteerde Paolo het glas op kleur en bezocht hij de mozaïekleggers tijdens hun werk in de kerken op het eiland. Hij hielp hen steen te breken tot mozaïeksteentjes, wit uit Istrië, rood uit Verona en keek toe hoe zij de stukjes zo dicht mogelijk op elkaar legden, in de vochtige mortel drukten, de overtollige specie wegveegden en de kleuren reinigden met eiwit. Hij gaf bestellingen door aan zijn vader als de mannen vroegen om een pond dieprood, een zakje smaragdgroen of een doosje purper. Hij kende de namen uit zijn hoofd: kobaltblauw en ebbenzwart; karmozijn en violet; olijfgroen, smaragdgroen en celadon; geel, amber en zijn favoriete kleur: oranje vermiljoen, *becco di merlo*, zo fel als de snavel van een merel. Hij leerde tinten onderscheiden, verschillende kleurschakeringen combineren en het verschil tussen complementaire en contrasterende kleuren. Hij bracht ongelijkwaardige kleuren en tinten samen en zag hoe dicht blauw en zwart bij elkaar lagen en hoe geel en blauw samen niet alleen groen maakten maar ook konden verhevigen tot rood. Hij stapelde verschillende stukjes opeen en keek hoe de mozaïekmakers dunne kleurstrepen op het glas aanbrachten om de glans van email te creëren. Op een dag gaf zijn moeder hem een stukje blauw kristal dat hij overal mee naar toe nam en in het licht hield om te zien hoe verschillende invalshoeken verschillende kleurflitsen teweegbrachten. Hij sloot zijn ogen en probeerde zich elke tint en elk accent te herinneren.

In de werkplaats bij de fondamenta produceerde Marco mozaïeksteentjes in alle kleuren: *azzuro, beretino, lactesino, rosso* en *turchese*, zodat er blauwe dagen en groene dagen, witte dagen en zwarte dagen waren. Hij experimenteerde met imitatiesieraden, vazen, flessen en zelfs met kralen. Hij nam lange glazen buizen en trok daar fijn ijzerdraad doorheen en bewerkte die in het vuur alvorens hij ze in piepkleine stukjes knipte, die zich tot ronde paarlen vormden. Als ze waren afgekoeld gaf hij ze aan zijn vrouw en zijn zoon om aaneen te rijgen en zo fabriceerde het gezinnetje eendrachtig rozenkransen, armbanden en halskettingen van imitatiekwarts en paarlen.

Paolo speelde vaak met Teresa's ring, een saffier, die hij beurtelings aan al zijn vingers schoof of over de grond rolde en vervolgens tegen het licht hield. Het was het kostbaarste dat ze bezat, een geschenk van haar moeder, kort voor ze stierf, en ze keek toe hoe Paolo ermee speelde. Misschien zou ooit zijn vrouw die ring dragen.

Toen Paolo negen jaar oud was, liet Marco hem voor de eerste maal glasblazen. De blaaspijp lag zwaar in zijn hand en zijn vader zag zich genoodzaakt hem te ondersteunen, maar Paolo blies zo hard dat het glas pardoes van het uiteinde van de pijp viel en in een bolvormige massa op de grond plofte.

Vervolgens leerde hij hoe hij de punteerijzers moest hanteren. Hij was onthutst over de subtiliteit die daarbij vereist was; hoe de gloeiende glasklomp aan het uiteinde van de pijp bij de minste aanraking van vorm kon veranderen. Het was belangrijk geduld te oefenen, te vormen en te moduleren, er kleur aan toe te voegen, te blazen, te hersmelten en daar alle tijd voor te nemen. Hij was verbaasd toen het glas als een vreemd voorwerp opzwol, elke bolling anders van kleur, vorm en structuur, en hoe snel hij moest werken als hij de gesmolten substantie die hij voor zich had zijn wil wilde opleggen.

Soms vond Paolo het in de hitte en de damp van het atelier lastig zich op het uiteinde van de blaaspijp te concentreren of zelfs om die duidelijk te zien. Het kostte hem te veel moeite en zijn ogen begonnen te prikken.

Marco lachte en plaatste elke keer als Paolo een fout maakte de roede terug in de oven en liet het glas steeds weer smelten, net zolang tot zijn zoon alle benodigde vaardigheden beheerste.

'Je zou haast denken dat je blind was,' zei hij plagerig.

Paolo bood, beschaamd vanwege zijn onvermogen iets snel onder de knie te krijgen, zijn verontschuldigingen aan. Als je zijn vader bezig zag leek het altijd zo simpel.

Maar Teresa had gemerkt dat haar zoon bijna bang was voor het glas. Misschien kwam dat door de hitte van de vlammen, het gewicht van de blaaspijp of de angst zijn vader teleur te stellen. Ze vroeg hem waarom hij zo onzeker was ten overstaan van oven, glas en roede.

'Ik ben niet snel van begrip,' antwoordde Paolo en dan troostte Teresa hem en zei tegen hem dat hij nog jong was, dat hij het best zou leren en dat hij niet bevreesd hoefde te zijn voor zijn vader.

Ze nam hem elke ochtend mee naar de kerk en bad elke avond

voor zijn ziel, overtuigd van de noodzaak tot dagelijkse voorbereiding van het Laatste Oordeel. Ze leerde Paolo dat alles wat er op aarde gebeurde, deel uitmaakte van Gods plan. Hij moest het patroon begrijpen dat achter zijn leven lag en leren van het goddelijke doel dat een verlossing uit de dood inhield.

Tijdens de mis keek ze elke dag in doodsangst op naar de pastoor die de folteringen van de hel afzette tegen de verrukkingen van het eeuwige leven; de grote afgrond van vertwijfeling die gaapte tussen hen die tot in lengte van dagen zouden worden gefolterd en hen die gezegend waren met eeuwige gelukzaligheid. De geestelijke vergeleek de stank van de hel met het zoete aroma van het paradijs, het gekrijs van de verdoemden met de liederen van de verlosten, en waarschuwde voor de duivelse gevaren die de lichtzinnigen en verdoemden bedreigden.

Teresa was van religieuze hartstocht vervuld en hield Paolo dicht tegen zich aan, terwijl Marco elke keer als de pastoor de ovens op het eiland vergeleek met de eeuwige vuren van de hel zuchtte, alsof iemand dat verband nog nooit had gelegd. Als hij de dagelijkse hitte van zijn oven kon weerstaan dan hoefde de vurige valkuil van zijn toekomst hem nauwelijks nog schrik aan te jagen.

Marco had de vroomheid van zijn vrouw nooit helemaal gedeeld. Hij was bereid stilletjes naast haar te zitten en toe te geven dat hij niet volmaakt was. Hij was zelfs bereid te biechten in ruil voor de belofte van het paradijs. Maar de wonderbaarlijke 'bewijzen' van het geloof die de priester Teresa had opgedist had hij altijd met een korreltje zout genomen. Hij had nooit kunnen aanvaarden dat de heilige Olga negenhonderd en negenenzestig was geworden; dat de heilige Hilarion op vijftien vijgen per dag leefde; of dat de heilige Andreas Anagni ooit alle gebraden vogels die hem als maaltijd waren voorgezet had laten verrijzen.

Maar wanneer Teresa keek naar de kerk waarin ze haar godsdienstige plichten vervulde, en die was gebouwd om haar een glimp van de hemel op aarde te gunnen, had elk verhaal, elk detail betekenis. Ze zei tegen Paolo dat hij elk steentje in een mozaïek moest zien als een mensenleven en dat hij zich daarop moest concentreren. Hij diende te weten dat elk fragment, hoewel het, als je het op zichzelf bekeek, niets leek te betekenen, een essentieel onderdeel vormde van het totale beeld, de optelsom van het menselijke bestaan, en uitsluitend betekenis had als je het in samenhang met alle andere facetten beschouwde. Zo, geloofde ze, zag God vanuit de hemelen toe op zijn schepping.

Paolo keek naar het mozaïek en vroeg zich af welk steentje het zijne zou kunnen zijn: of het hoog of laag zou liggen, in de schaduw of in het duister. Soms, vroeg in de ochtend, als de zon door de vensters naar binnen scheen en het goud deed glinsteren, merkte hij dat hij genoodzaakt was zich met toegeknepen ogen van het licht af te wenden, zo fel scheen het. En dan, in de schemering van de vooravond, als ze opnieuw gingen bidden, had hij moeite de vormen van de stenen in de verte te zien, of het patroon dat zij vormden te onderscheiden.

Dan wreef hij in zijn ogen om beter te kunnen zien, en dan vroeg Teresa hem wat hem scheelde. Paolo zei haar dat er niets aan de hand was. Hij wilde zijn moeder niet ongerust maken en niet de ergernis van zijn vader opwekken en daarom keerde hij later op eigen houtje terug naar de kerk van San Donato om het mozaïek van meer nabij te bekijken. Als Teresa hem dan later nogmaals vroeg wat hij zag hoefde hij niet meer te raden maar kon hij uit zijn geheugen putten.

De daaropvolgende drie jaren ging zijn gezichtsvermogen steeds verder achteruit.

Op een namiddag kwam hij thuis, na samen met zijn moeder in de buurt van de moerassen elzenhout te hebben gesprokkeld. Teresa had alle notie van tijd verloren en vond het merkwaardig dat het volgens de klok in de campanile pas vijf uur in de middag was. Ze vroeg zich hardop af of dat wel klopte.

Paolo vroeg haar wat ze bedoelde.

‘Moet je die klok zien.’

‘Waar?’

‘In de campanile.’

'Ik zie de campanile wel, maar de klok zie ik niet.'
Teresa bleef staan.
'Hoe bedoel je. Die kun je toch zeker wel zien?'
'Nee, dat kan ik niet.'
'Wat kun je dan wel zien?'
'Ik weet het niet. Jou kan ik zien. Het kanaal. De huizen.'
'Kun je die mensen in de boot zien? Die vrouw die de was doet?'
'Niet duidelijk,' antwoordde Paolo.
'Zag je die vogel die in een snelle duikvlucht aan je voorbijging?'
'Die hoorde ik. Ik ken zijn roep, maar in de lucht zien alle vogels er hetzelfde uit.'
'Kun je geen zwaluw van een havik onderscheiden?'
'Ik zou het niet weten.'
'Hoelang tob je al met je ogen?'
Opeens sloeg Teresa de schrik om het hart. Ze wist dat Marco geen genoegen zou nemen met een zoon die niet net zo'n scherp gezichtsvermogen had als hij. Bij het eerste teken van zwakte zou hij hem verstoten en aan zijn lot overlaten, zodat hij voor altijd afhankelijk zou zijn van aalmoezen, giften en de barmhartigheid van vreemden.
'Kun je het einde van de fondamenta beschrijven – de man die voor de deur van onze werkplaats staat?' vroeg ze, terwijl ze in paniek begon te raken.
'Ja, maar alleen met de grootste moeite. Is het een man of een vrouw?'
'Kun je dat niet zien? De man heeft een baard.'
'Die kan ik niet zien.'
'Wat kun je dan wel zien?'
'Vlakbij?'
'Nee, in de verte.'
'Er is een muur, een kapel en een kruis.'
'Kun je de bloemen onderscheiden?'
Paolo was even stil. Waren het rozen of lelies?
'Nou?' drong zijn moeder aan.

'Nee.'

'Zie je dat echt niet?'

Paolo zag het echt niet. Maar hij zag wel dat Teresa zich ongerust maakte. Hij wist dat ze haar ogen halfdicht had geknepen en dat ze boos was: en hij besefte dat hij voortaan moest oppassen welke antwoorden hij gaf.

'Hoe kunnen wij in ons levensonderhoud voorzien als jij geen glas kunt bewerken?' vroeg Teresa.

'Ik weet het niet,' antwoordde Paolo. Voor het eerst van zijn leven was hij bang voor zijn eigen moeder.

'We moeten oogkristal zien te vinden om je gezichtsvermogen te verbeteren,' opperde Teresa. 'Kom. We gaan. Stap maar in de boot.'

'Nu meteen? Zonder vader?'

'Hij mag er niets van weten. Ik zoek wel een man die ons over het water naar de *merceria* brengt. Daar zijn mannen die lenzen verkopen waar jij wat aan hebt. Ik hoop alleen dat we het kunnen betalen.'

Ze trok aan zijn arm en ze liepen in de richting van de haven. Daar werden ze door een roeiboot overgezet naar het vasteland. Na bij de fondamenta aan wal te zijn gegaan liepen ze over de smalle weggetjes van het Castello, waar een bejaarde man kijkglazen verkocht vanaf een dienblad dat op de hoek van een fournitureninkel was gezet.

Teresa plukte zo koortsachtig aan de glazen dat Paolo vreesde dat ze ze nog kapot zou maken.

'Hier, probeer deze eens.' Ze overhandigde hem een tweetal glazen die door een bruggetje verbonden waren maar geen pootjes hadden.

'Wat doet u hier?' vroeg de straatventer.

'Wilt u soms niet dat we uw waren kopen?' riposteerde Teresa bruusk.

'Jawel. Maar de jongen is te jong voor zulke dingen...'

'Hij kan niet goed zien.'

'Maar die zijn voor oude mannen, geleerden, lieden die lezen...'

Teresa reikte Paolo een vergrootglas aan.
'Is dit beter?'
'Nee, dat maakt het waziger in de verte.'
Paolo probeerde de ene lens na de andere, bril na bril. Hield ze aan de pootjes vast, verbaasd over de wijze waarop het beeld in zijn rechteroog en dan weer in zijn linkeroog voor hem op en neer danste. De spullen in de winkel werden merkwaardig, bijna onthutsend vergroot. Stroken metaal, linten, strikken, gespen, strengen hennep en twijn, spiegels en hun spiegelbeelden, alles tezamen, glas na glas, gereflecteerd en gebroken, hem tegemoet springend.
Paolo's hoofd deed pijn van de verwarring. De lenzen streden met elkaar en hij deed zijn uiterste best er een scherp beeld in te ontdekken.
Hij had het gevoel dat hij zich in een wolk bevond.
Elke keer dat hij een nieuwe lens oppakte voelde hij de vertwijfeling van zijn moeder groeien.
'Houd hem op een afstandje,' beval Teresa.
Paolo strekte zijn arm uit en het gebouw aan de overkant van de straat tekende zich plotseling scherp en duidelijk voor hem af, en de vensters glinsterden in het licht tegen het zachtroze gesteente.
'Het zorgt ervoor dat alles op zijn kop staat,' zei Paolo. 'Ik kan duidelijk zien maar dan moet ik wel de lens op een armlengte afstand houden en op mijn handen lopen.'
'Die is bedoeld om van dichtbij te zien,' zei de venter.
'Kunt u niet zo'n lens voor vlak voor mijn ogen maken, zonder dat de wereld op zijn kop staat?'
'Waar kun je niet goed zien?'
'In de verte.'
'Maar van dichtbij kun je wel goed zien?'
'Haarscherp. Als ik naar mijn vinger kijk, zie ik de lijnen van mijn vingerafdruk duidelijker dan met welke lens ook. Maar verder is niets zo klaar. Verderop vervaagt alles.'
'Helaas,' zei de straatventer. 'Deze brillen zijn voor oude mannen, voor wetenschappers die moeite met lezen hebben. Tegen

een oogzwakte als de jouwe weet ik geen enkele remedie. Voor een dergelijk doel kan geen lens worden geslepen.'

'Wat moeten we dan beginnen?' vroeg Teresa.

'U zou een bezoek kunnen brengen aan Luciano de apotheker. Misschien heeft hij er een middeltje tegen; maar hij is niet altijd even betrouwbaar...'

'We moeten hem meteen opzoeken,' zei Teresa, Paolo met zich mee trekkend, 'voordat je vader het in de gaten heeft, voordat iemand erachter komt dat je niet kunt zien...'

'Ik kan best zien.'

'Niet goed genoeg. Dat krijgt Marco allicht in de smiezen. We moeten voorkomen dat hij dit te weten komt. Goedendag,' riep ze de straatventer toe.

Ze staken drie straten over en liepen in de richting van de juwelierswijk. Paolo vond de drukke steegjes angstwekkender dan de artikelen die in de winkel te koop werden aangeboden. Hij leek voortdurend iemand voor de voeten te lopen, iemand die nog meer haast had dan hij. Mensen drongen langs hem heen. Paarden steigerden vlak voor hem. De straten stonken naar uitwerpselen. Hij verlangde naar zijn huis.

Luciano de apotheker werkte in een winkel die vol hing met kruiden, aardewerken potten met poeders, drankjes en smeersels. Hij zat verscholen achter een waas van felle vlammen en een borrelende geelbruine vloeistof. Een grote vijzel met een zware stamper hing aan het plafond en langs de muren stonden rijen majolica kruiken gevuld met saffraan, peper, gember, kaneel, klaver, nootmuskaat, Indische goudenregen, en galangawortel. Alle voorwerpen in de winkel leken zwart, zilverkleurig, wit of goudkleurig; alsof dit spectrum van kleuren een symbolisch geheim inhield dat uitsluitend de apotheker kon doorgronden. Zodra zij zijn laboratorium betraden begon Luciano te praten over een nieuwe alchemistische uitvinding die niet minder pretendeerde te zijn dan een recept voor het eeuwige leven. Het bestond er onder andere uit dat je de schubben van een vis moest vermengen met goudpoeder en het ooglid van een slang, en hij was overtuigd van de doeltreffendheid ervan.

Teresa viel hem in de rede. 'Mijn zoon kan niet zien.'
De apotheker legde zijn werktuigen neer. 'Is hij blind?'
'Nee, maar hij kan niet goed in de verte zien.'
'Dat komt zo vaak voor.'
'Dat mag dan zo zijn, maar zo kan hij niet meewerken in het bedrijf van mijn man.'
Luciano wendde zich tot het kind. Zijn ogen waren diep in zijn hoofd verzonken alsof hij zelf moeite had scherp te zien. Toen kwam hij dichterbij en keek Paolo doordringend aan.
'Hoe oud ben jij?'
'Ik ben twaalf.'
'Is het licht te hel voor je?'
'Hier niet, nee.'
'Waar dan? Wanneer?'
'Op het heetst van de dag. De helderheid.'
'Is het licht dan te fel?'
'Soms doet het pijn aan mijn ogen.'
'Ik begrijp het. Kom. Ga eens in de deuropening staan.' De apotheker sloeg zijn arm om Paolo's schouders.
'Kijk nu eens de straat in. Wat zie je daar?'
'Ik zie vage silhouetten, geen details. Kleur, geen vorm.'
'Leef jij wellicht in een bewolkte wereld?'
'Soms kan ik de wolken niet zien. De mensen vertellen me dat ze er zijn, of dat er storm op komst is, maar ik ben niet in staat dergelijke dingen op te merken. Zulke vormen zijn net als witte langs de hemel gespannen lakens, die langzaam donkerder en vervolgens zwart worden. Ik zie ze bewegen maar als in een mist.'
De apotheker vertelde Paolo dat het gezichtsvermogen een dans tussen twee fenomenen was die voortdurend aan verandering onderhevig waren, die van de waarneming en die van het object. Het oog was behept met het gezichtsvermogen en het object lichtte op door zijn kleuren. Paolo's probleem was dat het zijn ogen aan kracht ontbeerde.
'Eet je veel uien?' vroeg Luciano plotseling.
'Nee,' antwoordde Paolo.

'Natuurlijk eet je wel uien,' zei Teresa.

'Ja, maar lekker vind ik ze niet.'

'Valkeniers beweren dat hun gezichtsvermogen verbetert als ze de uien laten staan. Heb je wel eens balsems en zalfjes geprobeerd?'

Paolo wist niets van zulke dingen. Hij deed er het zwijgen toe. Teresa probeerde het uit te leggen.

'Hij heeft nog geen remedies ondergaan. Zijn gebrekkige gezichtsvermogen is nieuw voor hem.'

De apotheker zuchtte, boog zich naar voren en hield een kaars omhoog.

'Kom eens hier, mijn kind. Kijk eens in dit licht.'

Het werd zo dicht bij gehouden en werd zo fel dat Paolo achteruitdeinsde. Luciano kwam zo dichtbij mogelijk en tuurde ingespannen in beide ogen. Zijn adem riekte naar tomaten.

'Laat mij eens nadenken,' zei hij.

'We hebben vast een balsem nodig,' zei Teresa, 'een drankje, een tinctuur of een zalfje? Iets dat we op zijn ogen kunnen smeren om ze te genezen.'

Luciano bekende dat er wel zulke middelen bestonden maar dat hij nog niet overtuigd was van hun werkzaamheid. Hij had gehoord dat speenkruid, venkel, andijvie, betanie en wijnruit allemaal konden helpen bij het herstel van het gezichtsvermogen; evenals guichelheil, ooienmelk, rode slakken, varkensvet en de verpulverde kop van een vleermuis. Sommigen bevalen de toepassing van bloedzuigers op de oogleden aan, en een dokter in Padua had onlangs geopperd dat degenen die leden aan een zwakte van de optische geest baat konden vinden bij het om hun nek hangen van een koeienoog. Hij had recepten bestudeerd waarin gebruik werd gemaakt van paddengif, het speeksel van een dolle hond, monnikskap, wolfswortelen en de verbrande huid van een vogelspin.

Na enig gepeins stelde hij voor een balsem te proberen die hij had gemaakt door een mengsel van ogentroost en witte wijn te distilleren tot het klaar was om op te drinken. Twee handenvol kruiden werden vermengd met varkensvet en fijngestampt in een vijzel. Deze dikke zalf had drie dagen in de zon gelegen, was gekookt, gezeefd en tot driemaal toe geperst voor hij klaar was om op de ogen te worden aangebracht.

Teresa smeerde de balsem voorzichtig op Paolo's oogleden, maar dat maakte zijn wereld alleen maar nog ondoorzichtiger.

'U moet het er dik op smeren,' adviseerde de apotheker.

Paolo stak zijn hand uit en schepte een flinke lik van de reuzelachtige zalf op. Het spul was dik en vettig en maakte dat zijn oogleden zwaar werden, alsof hij slaap had.

'Nu moet je rusten,' hoorde hij de man zeggen. 'Twee uur absolute rust.'

Paolo ging in het donker liggen. Zou het zo aanvoelen als je blind was? Hoe zou het zijn om voor eeuwig in zo'n inktzwarte duisternis te leven, zijn moeder nooit meer terug te zien, zich enkel op zijn geheugen te kunnen verlaten? Hij wilde zijn armen uitstrekken, zich aan haar vastklampen en haar dan het duister laten wegspoelen.

'Stil liggen,' beval Luciano.

Teresa was beginnen te bidden.

Toen de twee uur voorbij waren veegde de apotheker de pasta van zijn ogen en vroeg Paolo wat hij zag.

'Vreemde vormen die ik niet kan vertrouwen. Geen scherpe aftekeningen; alleen de voorwerpen die heel dichtbij zijn hebben een silhouet. Verder is alles vaag.'

'Is je gezichtsvermogen verbeterd?' vroeg Teresa.

Paolo wilde niets liever dan zijn moeder geruststellen maar merkte dat hij daar niet toe in staat was. Hij schudde zijn hoofd.

'Maar hoe zit het met de kleuren? Kun je kleuren duidelijk onderscheiden?' vroeg Luciano.

'Van dichtbij wel. Kleuren kan ik heel goed zien.'

'Vind je dat rustgevend?'

'Soms.'

'En weet je wat je daarmee kunt doen?'

'Hoe bedoelt u?'

De apotheker sprak alsof hij het geheim van het leven zelf

onthulde. 'Soms, als er kleuren op het lichaam verschijnen, moeten die met kleuren tegemoet worden getreden; we moeten ons erop concentreren, ze dragen, ze dromen, ernaar kijken en ze eten.'

'Wat wilt u daarmee zeggen?' vroeg Teresa.

De apotheker zuchtte. 'Problemen met de kleur rood bijvoorbeeld, moeten met rood worden bestreden. We moeten rode gedachten denken, rode kleding dragen en rood voedsel eten. Dat kan heilzaam zijn bij de genezing van brandwonden, aantasting van de bloedvaten, bloedend tandvlees en een onregelmatige menstruatie: alles wat rood is. De kleur bruin werkt goed tegen heesheid, doofheid, vallende ziekte en jeuk rond en in de aars; terwijl de kleur wit van nut kan zijn voor mannen met de hik, oprispingen en impotentie. Knoop dat goed in uw oor. Kleur dient met kleur te worden bestreden.'

'En heeft elke kleur zijn nut?'

'Maar natuurlijk. Paars is goed tegen stotteren, spierverslapping en evenwichtsstoornissen. Geel kan een effectief middel zijn tegen misselijkheid, zwaarlijvigheid en winderigheid...'

'Maar wat acht u heilzaam voor mijn zoon?'

'Ik zou de rustgevende eigenschappen van de kleur blauw aanbevelen.'

'Wat voor soort blauw?' vroeg Paolo.

'Alle soorten. Azuurblauw, hyacint, pauwblauw en korenbloemblauw. Begin met het water buiten, met de kanalen – staar er elke dag vier uur in en je ogen zullen tot rust komen.' Hij wendde zich tot Teresa. 'Laat hem een saffier zien. Of twee. Maak gebruik van het blauwe glas van uw echtgenoot.'

'En zal dat zijn gezichtsvermogen herstellen?' vroeg ze.

'Het kan in ieder geval geen kwaad. Maar als dit onverhoopt niet mocht helpen, dan proberen we het met de kleur geel' – de apotheker zweeg een ogenblik – 'hoewel u dat wellicht minder zal aanstaan.'

'Hoezo?' vroeg Teresa.

'Bij de behandeling wordt gebruikgemaakt van opgewarmde urine, verse boter en kapoenvet. Maar dat is misschien altijd nog beter dan de gal waarvan Thomas zich bediende, of de van hun ingewanden ontdane kikkers waar de Assyriërs zo hoog over opgaven.'

Zijn moeder keek bezorgd. 'Denk je dat je dat aankunt, Paolo?'

'Ik kan het proberen.'

Ze betaalde elf *soldi* voor het consult en keerde, bij het vallen van de avond, met Paolo terug naar huis.

ɷ

De volgende dag vroeg Teresa haar zoon zich te concentreren op het kanaal naast de werkplaats. 'Begin hier maar vast, dan zal ik kijken of ik wat blauw glas kan opduikelen.'

Ze gaf hem een vluchtige kus op zijn voorhoofd, keerde zich om en liep de straat in.

Paolo staarde in het water. Het was donker en azuurblauw, doorschoten met helwit als het zonlicht erop viel, fel schitterend en midden op de dag te intens voor Paolo's ogen. Hij koos zich plekjes waar de zon niet kwam, onder bruggen, waar de schaduw het water verdonkerde tot zwartblauw. Hij probeerde de stroom van het tij te volgen, de hoeken waaronder hij keek te variëren om de rustigste stukjes blauw en het zachtste licht voor zijn ogen te vinden.

Hij verwonderde zich over de kleuren: hoe elke kleurschakering in de ander leek over te gaan, samen te vloeien en vervolgens ermee te contrasteren in het veranderende licht zodat hij, na een paar dagen naar het water te hebben gekeken, niet meer kon beschrijven hoe het, naarmate hij verder de zee in tuurde, temperde tot een soort aquamarijn.

Toen keek hij naar het zeewier dat zich aan de steigerpalen en de staken had gehecht, naar de planten die al groeiden op de marmeren traptreden, het onkruid dat op de brug bij de kerk voortwoekerde en de nieuwe groene luiken aan de huizen. Hij keek tussen de dennenbomen door omhoog naar de hemel, maar het licht was te fel en deed pijn aan zijn ogen, waarbij de dennenappels zwarte vlekken leken die op zijn hoornvlies dreven en zijn uitzicht belemmerden.

Teresa gaf hem twee stukken donkerblauw glas die, als grote mozaïekblokjes tot vierkanten waren gesneden. Hij voelde de scherpte van de randen die in zijn hand prikten.

'Ik heb ze in de werkplaats gevonden. Je vader dacht dat ik niet goed wijs was.'

Paolo deed zijn linkeroog dicht en hield één van de vierkantjes voor zijn rechteroog, waardoor het glinsterende water onder het donkerblauwe glas temperde. Plotseling voelde hij een merkwaardige kalmte over zich komen die werd veroorzaakt door wat hij zag. Hij keek beurtelings naar het zonlicht en naar de schaduw en was gefascineerd door de wijze waarop de intensiteit van het licht de kleur van het voorwerp dat hij bestudeerde beïnvloedde.

Met het blauwe glas voor zijn ogen begon hij over het eiland te dwalen. Meestentijds bood dat hem vertroosting, maar wanneer hij zag hoe het felle licht door het water van de lagune werd weerkaatst, was het net alsof het glas voor zijn ogen uiteen was gespat. Hij genoot intens van die eindeloze breking van het licht. Soms was er sprake van zo'n serene kabbeling van het water dat het leek alsof alle kleur eruit was verdwenen. Andere keren, als de zon achter hem stond, of in de schaduw van de gebouwen, zag hij zijn eigen gezicht duidelijk weerspiegeld in het blauwe glas, zij het vertekend tot een merkwaardige ovaal. Paolo begon te dromen in het blauw, waarbij hij zich voorstelde dat hij onder water leefde waar hij nog minder kon onderscheiden dan op het land.

Maar hoewel hij zijn moeder kon bekennen dat de wereld een rustiger aanblik bood, was de scherpte er niet beter op geworden en zag hij in de verte nog minder dan voorheen.

Teresa ging naast hem aan de oever van het kanaal zitten. 'Kom, ga eens op je knieën zitten.' Ze maakte een kommetje van haar handen, schepte water op en begon zijn ogen schoon te spoelen. Toen droogde ze zijn gezicht af met haar jurk. 'Wat moet ik met jou beginnen?' vroeg ze.

Paolo deed zijn ogen open en had het gevoel dat de wereld om hem heen zweefde.

'Ik zie best voldoende,' zei hij met gedempte toon. 'Ik denk dat ik het wel kan leren.'

'Met louter giswerk kom je er niet,' antwoordde Teresa.

Thuis kon ze de tekortkomingen van haar zoon verbloemen, maar bij de oven was dat onmogelijk.

ꙮ

Het ongelukje bracht alles aan het licht.

Het was laat in de middag en het vertrek was vol van rook, stoom en hitte. De blaaspijpen werden in de oven verhit ter voorbereiding op het glasblazen. Paolo controleerde of de uiteinden roodgloeiend waren.

'Breng er eens een hier,' riep zijn vader.

Even verkeerde Paolo in onzekerheid. Hij kende de indeling van de werkplaats. Hij had de precieze positie van elke stuk gereedschap en de dagelijkse gewoonten van de mensen die er werkten in zijn geheugen geprent. Maar in de hitte van die bewuste middag was hij op merkwaardige wijze het spoor bijster.

'Schiet op,' riep Marco.

Paolo draaide zich, met de blaaspijp in zijn hand om, waarbij het verhitte uiteinde tegen Marco's ontblote arm sloeg en in zijn vlees brandde. Even was het doodstil, de schrik sloeg hem om het hart: toen schreeuwde zijn vader het uit van de pijn.

'Wat flik je me nu? Zag je niet dat mijn arm daar was?'

De *stizzador* rende weg om water te halen. Paolo liet de blaaspijp vallen en rende de straat op. Zijn moeder, door het geschreeuw gealarmeerd, kwam van de bovenetage de trap afsnellen.

'Mijn god.'

Paolo bleef drie uur lang weg, terwijl zijn moeder ondertussen de wond verbond en Marco raasde en tierde. 'Er zal nooit iets van die jongen terechtkomen. Hij is traag van begrip. Het is een dromer. Hij zag niet eens waar ik stond.'

'Rustig nou maar,' zei Teresa. 'Denk daar nu niet aan.'
'Hij kan niet zien. Dat is het hem. Jij hebt hem de hand boven het hoofd gehouden. Je dacht dat ik het niet in de gaten had.'
'Ik hoopte vurig dat je het niet zou merken.'
Teresa doopt een schone lap in het water en omzwachtelde zijn arm ermee. 'Wat kunnen we eraan doen?'
'Niets, natuurlijk. Niemand anders zal hem in dienst willen nemen.'
'Hij is nog jong,' zei ze. 'Hij doet zijn uiterste best. En hij is bang voor jou.'
'Dat heeft geen invloed op zijn aandoening. Angst maakt niet blind.'
Teresa wist dat dit niet het aangewezen moment was om ruzie te maken. 'Laat hem doen waar hij goed in is. Er zijn best dingen die hij wel kan doen.'
'Zoals?'
'Hij is verzot op kleur. Hij concentreert zich erop. Hij heeft er gevoel voor. Laat hem het glas gereedmaken en sorteren. Ik zal hem erbij helpen.'
'Jij slooft je al zo voor hem uit. Hoe zou je nog meer kunnen doen?'
'Wees niet boos op hem.'
'We kunnen ons geen ongelukken bij de oven veroorloven. Dat weet je.'
Teresa deed het verband wat losser om zijn arm en streek Marco over zijn bol. 'Je bent heel dapper geweest.' Ze glimlachte.
'De wond geneest toch wel, hè?' vroeg hij.
'Ja, hoor,' antwoordde ze. 'Dat komt wel goed. Laat me je een glaasje wijn inschenken.'
De werkdag zat erop en ze zaten samen buiten voor de deur van de werkplaats in het late middaglicht. Teresa begreep nooit hoe Marco's stemming zo snel kon omslaan. 'Kunnen we niet van Paolo houden zoals hij nu eenmaal is?' vroeg ze.
'Ik doe mijn best, maar ik kan nooit vergeten dat hij mijn zoon niet is. Jij kunt van hem houden maar ik weet niet hoe.

Hij is een stille jongen. Hij doet nauwelijks een mond open. Hij lijkt niet eens op mij. Het is zo moeilijk om van hem te houden.'

'Houd dan van hem om mijnentwille.'

'Dat doe ik. Dat is precies wat ik doe. Zie je niet in dat ik daar mijn best voor doe. Zo leef ik. Enkel voor jou. De jongen is...'

Toen deed Marco er het zwijgen toe. Teresa draaide zich om. Paolo was teruggekeerd en stond te luisteren.

'Hoe lang sta je daar al?' vroeg Marco.

Paolo keek zijn moeder aan. 'Wat bedoelde hij met: "Ik kan nooit vergeten dat hij mijn zoon niet is?"'

Teresa herinnerde zich het eerste woord dat Paolo ooit had gesproken. *Weg*. Zelfs toen had ze gedacht dat hij op zijn biologische moeder had gedoeld; op haar afwezigheid. Hij had haar angsten voorvoeld. En zij had toen gezworen dat zij het hem nooit zou vertellen. Waarom zou hij het ooit te weten komen?

'Het betekent niet dat ik niet van je houd,' zei ze simpelweg.

'Teresa...' zei Marco.

Ze liep naar Paolo toe en probeerde hem te troosten. 'Je bent als een zoon voor me geweest.'

'Maar u hebt me niet gebaard. Ik heb een andere moeder.'

In zijn ogen blonk iets van verwijt.

'Ja.'

'Waar is zij?'

'Zoek. Dat weet niemand.'

'Hoe is dat mogelijk?'

Marco stond op. 'Teresa heeft je gered.'

Paolo negeerde hem en richtte al zijn aandacht op zijn moeder. 'Maar waarom hebt u me dat nooit verteld?'

Teresa keek hem aan. 'Omdat ik bang was.'

'Waarvoor?'

'Hiervoor.'

Paolo wist niet of hij kwaad moest worden, zich verraden of verloren moest voelen of begrip moest hebben voor Teresa's huiver. Hij begreep niet meer wie hij was of waar hij thuishoorde. Wat was hij als hij niet hun zoon was?

Ten slotte nam Marco het woord.

'Niemand zou zoveel van je kunnen houden als je moeder van je heeft gehouden.'

'Zij is mijn moeder niet.'

'Zij is als een moeder geweest. En dankzij haar ben jij nog in leven.'

'Misschien had ik beter kunnen sterven.'

'Nee,' zei Marco op felle toon. 'Zo mag je niet praten. Je kunt van haar nog iets opsteken.'

'Wat dan?'

'Dankbaarheid.'

'Geen ruzie maken,' zei Teresa. 'Alsjeblieft. Ik heb gedaan wat ik kon. Ik heb niet voor mezelf geleefd, maar uitsluitend via jou. Ik wilde dit doen. Ik wilde van je houden.'

'En zal ik nooit te weten komen wie mijn echte moeder is?'

'Nee.'

'Is ze in het kraambed gestorven?'

'Dat weten we niet.'

Marco nam Paolo mee en liet hem in het vuur van de oven kijken. 'Teresa is de echtste moeder geweest die je je maar had kunnen wensen. Haar liefde brandt fel en is krachtig als dit vuur. Twijfel daar nimmer aan.'

Paolo probeerde te bedenken wie zijn biologische moeder kon zijn geweest en wat hij van haar had geërfd: misschien de zwakheid in de ogen, zijn manier van lopen of de wijze waarop hij zijn hoofd hield als hij luisterde.

Hoe zou ze zijn geweest? Was ze ziek of arm?

Was hij verwekt in liefde of in radeloosheid, in wellust of met geweld? Hoe was hij geboren? En wie was zijn vader?

Waarom mocht hij dat nooit te weten komen?

En hoe hadden ze zo'n geheim zo lang voor hem verborgen kunnen houden?

ꙮ

Toen de werkzaamheden in het atelier werden hervat, deed Marco zijn uiterste best Paolo's fouten door de vingers te zien, alsof hij een van de tragere hulpjes was. Hij hield rekening met zijn slechte gezichtsvermogen, liet hem van nabij met glas werken en zorgde dat hij op afstand bleef van de blaaspijpen en de vlammen. Paolo vermengde plantaardig glaszout, kiezelaarde en kwartskiezels; hij bereidde glasspecie en bladgouden mozaïekbiesjes; hij voegde er kleur aan toe door oplossingen van mangaan, ijzer en kopervulsel dooreen te roeren om donkerpaars, zachtgeel, felgroen en geelbruin te verkrijgen; en hij controleerde de graad van doorzichtigheid en de glans van elk stuk dat hij vervaardigde.

Hij hield de stukken vlak voor zijn ogen en vervolgens op verschillende afstanden en keek hoe zij veranderden in het licht, verwonderd over hun doorschijnendheid, verbaasd over hun helderheid. Gefascineerd droomde hij weg bij alles wat hij in zijn hand hield, of dat nu een stuk glas, een mozaïekbiesje, een bokaal of een schaal was. Elk voorwerp had slechts betekenis voor hem als hij het van heel nabij observeerde.

Op Maria Hemelvaart, in het jaar 1311, werd Paolo gevraagd Simone, een kunstschilder uit Siena, al het glas en de metalen mozaïekbiezen te tonen die ze hadden, want hij wilde die gebruiken als namaaksieraden, om de gouden aureolen van de heiligen in zijn volgende altaarstuk mee te bezetten.

Hoewel de schilder pas zesentwintig jaar oud was, was het duidelijk dat hij alreeds een succesvol kunstenaar was. Hij leek bijna zorgeloos tegen het leven aan te kijken en bezat al het zelfvertrouwen dat wordt ingegeven door een deugdelijke opleiding, geërfd vermogen en gewaardeerd talent. Zijn kostbare kleren werden nonchalant gedragen, alsof hij zich niet bewust was van hun waarde, en de blauwwitte baret leek op een half afgewikkelde tulband die elk moment van zijn hoofd kon vallen.

Paolo droeg het glas naar buiten en gaf al doende blauwe saffieren, goudrode robijnen en groene smaragden aan het felle daglicht prijs.

'Deze zijn goed,' zei Simone. Hij bestudeerde elke stuk aandachtig maar leek toen te worden afgeleid, alsof Paolo te dicht bij hem en in zijn licht stond. 'Jij lijkt me erg bleek,' merkte hij op. 'Laten je ouders je nooit naar buiten?'

''s Zomers is het zonlicht zo hel dat het pijn doet aan mijn ogen,' zei Paolo, 'en dus probeer ik in de schaduw te blijven. Ik heb altijd al een lichte huid gehad.'

'Buitengewoon. Je bent zo wit als een doek. Misschien zou ik jou moeten schilderen. Ik maak in mijn werk altijd gebruik van de mensen die ik tegen het lijf loop. Je hebt geen idee hoeveel Venetiaanse kooplieden ik uit de Tempel heb verjaagd.'

Paolo was nieuwsgierig en kreeg er plotseling plezier in. 'Wie zijn dat dan zoal?'

De schilder bestudeerde hem nogmaals en keek naar de manier waarop het licht op zijn gezicht viel. 'Jij bent heel mooi. Wat een vreemde blauwe ogen. Je zou een engel kunnen zijn. Of de tovenaar Elymas die door Paulus met blindheid werd geslagen. Als je je haar zou laten groeien, zou je zelfs voor een meisje kunnen doorgaan. Als St. Lucia, wellicht, de heilige die haar ogen uitrukte omdat haar minnaar maar niet wilde ophouden haar schoonheid te prijzen.' Hij pakte een gele steen. 'Weet je dat ze werd verdronken in een vat kokende urine? Niet erg aangenaam.'

Ze liepen terug naar de werkplaats en Paolo ging Simone voor naar de voorraadkamer. Daar toonde hij elk stuk glas in verschillend licht en liet de schilder zien hoe het van zonlicht in schaduw veranderde. Toen vroeg hij op welke muur het schilderij zou worden aangebracht: op het noorden of op het zuiden, op het oosten of op het westen, en of er vensters in de nabijheid zouden zijn.

Hij hield het glas omhoog voor het raam en in de deuropening en vroeg Simone op welk moment van de dag het licht op zijn schilderij zou vallen en voor hoe lang? Bewoog het van rechts naar links of van links naar rechts? Had hij de mozaïeken in de kerk van San Donato gezien?

Paolo was zo ernstig in zijn vraagstelling dat Simone voor het eerst die middag het zwijgen werd opgelegd en hij in gedachten verzonk.

'Ik volg altijd het dominante licht,' antwoordde hij ten slotte.

Paolo vroeg welk kleuren de schilder van plan was te gebruiken en hoeveel bladgoud hij uit een florijn kon halen. Als de mantel van de Heilige Maagd blauw moest zijn, welke kleur blauw zou het dan moeten zijn: kobalt, azuur of indigo? Misschien zou een glazen amethist als gesp kunnen fungeren, maar zou hij dan willen dat die op een bijzondere wijze werd geslepen, in facetten of rond?

De schilder glimlachte. 'Hoe weet je al die dingen?' vroeg hij.

Marco was de voorraadkamer binnengelopen en luisterde mee. 'Zijn ogen zijn anders dan die van anderen.'

Simone wendde zich tot Marco. 'Hij heeft een bijzondere gave. Hij spreekt over licht en kleur alsof het zijn beste vrienden zijn.'

'Hij weet niet beter.'

'Ben je gelukkig hier?' vroeg de schilder aan Paolo.

'Natuurlijk is hij gelukkig,' kwam Marco tussenbeide. 'Waarom zou hij niet gelukkig zijn?'

'Ik bedacht me opeens iets.'

'Wat?' vroeg Paolo.

'Ik vroeg me af of je misschien zin had om voor mij te komen werken?'

'Waar?'

'In Siena, natuurlijk.' Simone wendde zich tot Marco. 'Laat me hem voor een jaar meenemen. Ik zal hem opleiden. Hij kan glas snijden en het glas in mijn werk aanbrengen.'

'En zou u hem daarvoor betalen?'

'Voldoende om van te leven, natuurlijk,' zei Simone. 'Ik ben geen tiran. Ik heb zowel werk in mijn geboortestad als in Assisi. Het leven van de Heilige Martinus. Ramen en muurschilderingen. Het zal nog een hele klus worden.'

Paolo kon zijn oren nauwelijks geloven.

'Nou?' vroeg de schilder. 'Je weet heel wat van edelstenen en van glas. Als je werkelijk alles over kleur wilt leren, dan moet je ook verf maken. De steen vergruizen, het zoeken in de aarde; het zuiveren, vermalen en vermengen. Het donkerste indigo. Het diepste alizarien. Peilloos blauw. Er is niets zo opwindend als kleur tot zijn recht laten komen.'

Het was de eerste keer dat Paolo zeggenschap over zijn eigen levenslot werd geboden. 'Mag ik zelf beslissen?' vroeg hij aan Marco.

Zijn vader knikte bevestigend.

'Jij mag het zeggen,' vervolgde de schilder. 'Ik zal je in de leer nemen. Samen scheppen wij een nieuwe hemel en een nieuwe aarde.'

Het betekende wel dat hij alles wat hem vertrouwd was vaarwel moest zeggen: het einde van zijn kinderjaren.

'Ik ga mee,' zei Paolo.

'Wat zal je moeder daarvan zeggen?' vroeg Simone.

'Ik denk dat we haar hier beter buiten kunnen houden,' antwoordde Marco. 'Zij is het er vast niet mee eens.'

Paolo probeerde zich een voorstelling te maken van het afscheid. 'Als ik haar gedag moet zeggen, kom ik hier nooit weg.'

'Dat is dan afgesproken. Geen woord tegen je moeder. Laten we morgen vertrekken,' kondigde Simone aan. 'Dan begint je leven als leerling.'

Zoals Marco al had voorspeld was Teresa des duivels. 'Wat heb je gedaan? Hoe kon je nu in zoiets toestemmen?' voer ze uit.

'Het is de keuze van de jongen zelf, niet van mij. Ik heb het niet eens voorgesteld.'

'Daar geloof ik geen woord van. Paolo zou me nooit op zo'n manier in de steek laten.'

'Hij heeft een baan gevonden, avontuur. Misschien maakt hij ons ooit toch nog eens rijk.'

'Als we dan nog in leven zijn.'

'Het is maar voor een jaar.'

'Elke dag zal een jaar lijken. Ik zal niet weten waar hij uithangt of wat hij uitspookt, of hij bedroefd is of blij, hongerig of dorstig, ziek of gezond. Ik zal niet weten of hij goed slaapt of niet; en ik zal hem evenmin kunnen troosten als hij zich zorgen maakt. Je moet een moeder zijn om te begrijpen wat het betekent als een zoon het ouderlijk huis verlaat.'

'En je moet een vader zijn om te weten wanneer een jongen niet langer een kind is. Hij is zestien jaar oud. Het is tijd voor hem om getrouwd te zijn, emplooi te hebben en niet meer bij ons thuis te wonen.'

'Hij heeft emplooi.'

'Alleen maar omdat jij de helft van zijn werk op je neemt.'

'Dat is niet waar.'

'Je weet dat het wel waar is.'

Teresa liep de deur uit en over de fondamenta, voorbij de kerk van Santo Stefano en over de brug naar de kerk van San Donato. Ze bleef pas staan toen ze bij de rand van het eiland kwam en keek uit over zee, naar het Eiland van de Twee Wijnstokken. Er hing nevel boven het water. Alles leek ver weg, vaag. Zo moet het er voor Paolo altijd hebben uitgezien, dacht ze.

Ze herinnerde zich hoe ze hem op hemelvaartsdag in de kleine *rio* had gevonden, hoe ze hem van de monniken had gered en zijn werk in de werkplaats; zijn merkwaardige blauwe ogen en hoe hij haar aankeek alsof hij zijn ogen nooit goed kon geloven. Het was een blik van zowel vertrouwen als verbijstering. Alleen zij wist het, alsof zo'n blik uitsluitend voor haar was bedoeld.

Wie moest er nu op hem passen?

Toen Teresa langs de kust liep en aan haar zoon dacht, raakte ze ervan overtuigd dat haar hartstochtelijke zorgzaamheid Paolo's enige bescherming vormde.

Ze stelde zich elke aandoening en ziekte voor die hem te beurt zou kunnen vallen, want als ze dat deed zou ze zulke rampen misschien wel kunnen afwenden.

Haar hoofd vulde zich met alle manieren waarop haar zoon de dood zou kunnen vinden.

SIENA

Het was augustus. Simone maakte plannen om via Padua, Ferrara en Bologna zuidwaarts te reizen, over de uitlopers van de Apenijnen en dan over de rivier de Arno oostwaarts naar Florence. Ze reisden achter in een paard en wagen over kronkelpaden te midden van glooiende wijngaarden en haalden water uit de putten van de kleine bergdorpjes die ze op hun weg aandeden. Na acht dagen kon Paolo nog maar net hoog in de verte de omtrekken van Siena onderscheiden, een kluitje oker en donkerbruin, de gebouwen kris kras door elkaar, afgezet met kantelen van cipressen en sparren.

Simones atelier bevond zich in de Contrada Aquila. Het werd omringd door een ruim erf dat uitkwam op een smalle, drukke straat. Hier werd de pupillen geleerd hoe ze het hout moesten prepareren voor godsdienstige panelen en altaarstukken: het wassen, het schuren en het polijsten van elk stuk populierenhout voordat de onderlaag van gesso erop werd aangebracht. De meer ervarenen onder hen werkten aan de ornamenten: ze persten tinfolie en bladgoud en begonnen met het vergulden, versieren, aandrukken en pletten. Anderen die zich bezighielden met de fresco's buiten het atelier hadden al geleerd hoe ze een muur moesten prepareren, bevochtigen, pleisteren, richten en gladstrijken.

Simone vertelde Paolo dat hij elk onderdeel van het schilderproces onder de knie moest krijgen: het prepareren van houtskool voor de schetsen, het maken van penselen, papier en pennen en het verzamelen van eieren waarmee je pigment kon binden en het mengsel van tempera en verf kon maken. Hij moest ongebluste kalk en zand zeven, gips maken, panelen polijsten en ten slotte, als hij het proces volledig beheerste, mocht hij dan met kleuren aan de gang gaan.

'Wat schildert u?' vroeg Paolo.

'Alles,' antwoordde Simone. 'Alfa en Omega. Het begin en het einde.'

'Schildert u de hemel?'

'En de hel. Vanaf deze onwaardige wereld. Is het niet ongelooflijk?' De kunstenaar praatte als een kermisbaas die zijn publiek toespreekt. 'Ik kies zorgvuldig elk ingrediënt, als een huisvrouw op de markt. Ik kook met verf.' Hij verkruimelde een brokje oker tussen zijn duim en wijsvinger. 'Zoals een chef-kok smaken creëert, zo roep ik kleuren op: met ei en tempera, meekrap en saffraan. Dit zijn mijn ingrediënten en specerijen.' Hij klopte de verfstof van zijn vingers. 'Er is maar één verschil.'

'En dat is?'

'De maaltijd die ik creëer blijft eeuwig bestaan.'

Simone was het gelukkigst als hij bekijks had, en Paolo vroeg zich af of zijn medewerkers niet louter waren aangenomen om hand en spandiensten te verrichten, maar ook om hem voortdurend aandacht te schenken en altijd klaar te staan om om zijn spitsvondigheden te lachen. Zorgen dat Simone tevreden was maakte bijna de helft van het werk uit, want hij kon elk moment gedeprimeerd raken, zo fragiel was zijn zelfvertrouwen en, zo merkte Paolo op, zijn liefde voor wijn. De man kon in één ogenblik van euforie tot wanhoop vervallen, wat maakte dat allen die voor hem werkten voortdurend nerveus en op hun hoede waren.

Soms smeet Simone opeens een penseel tegen de grond en verliet hij het atelier om het met zijn vrienden op een zuipen te zetten en te beschonken terug te keren om zijn werk te kunnen voortzetten. Hij compenseerde zulke ongeremdheid door zesendertig uur aan één stuk door te werken. Getalenteerd, wispelturig en gemakkelijk afgeleid overlaadde hij zijn leerlingen soms met onvoorstelbaar zware verantwoordelijkheden.

'Lippo, doe jij de handen – Mino, maak jij het aureool af – Ugolino, decoreer jij de mantel van de Heilige Maagd.'

'Hoe?'

'Verzin maar wat.'

Paolo begon met het prepareren van houtskool om schetsen mee te maken: hij pakte strengen wilgentak, sneed die tot luciferhoutjes, schuurde ze en sleep ze tot pijpjes, bond ze in bosjes bijeen en legde ze vervolgens in een aardewerken pot die hij elke avond naar de bakker bracht om de staafjes tot de volgende ochtend te laten roosteren.

Na vier maanden leerde hij hoe hij met kleuren moest werken, vergruisde hij pigment en maakte hij plakken purpersteen of serpentijnsteen. Om azuur te maken kookte hij in een serie kommetjes mengsels van alkaline, honing en loog, en voegde er vervolgens pigment aan toe, waarbij hij scherp in het oog hield hoe de kleur zich geleidelijk aan verdiepte. Als hij de vloeistof eenmaal had afgegoten, was de verf klaar om te binden met eidooier en aan te brengen op paneel of fresco.

Net zoals hij had geleerd elke kleurschakering van steen en glas te bepalen, begon Paolo nu ook in te zien hoe verf in enkele ogenblikken lichter of donkerder kon worden gemaakt en de kleur kon worden verdiept of afgezwakt.

'Onze taak is niets minder dan de glorie van Gods schepping te laten zien. Schilderen is een geloofsbelijdenis, Paolo. We vertellen verhalen, zetten aan tot devotie. Dit is het land van wonderen' – Simone glimlachte – 'ook al herhalen ze zichzelf nog wel eens.'

'Wat bedoelt u daarmee?'

'Heiligen kunnen behoorlijk saai zijn, vind je niet? Er is slechts een beperkt aantal manieren waarop een schilder devotie kan afbeelden. De hel is zoveel amusanter.' Terwijl ze pigment vermengden met eierdooiers, begon Simone Paolo te vertellen van zijn ambitie een Laatste Oordeel te schilderen: de doden die skeletachtig, spookachtig uit de krochten en spleten van de aarde tevoorschijn komen en wachten om met vlees te worden bekleed of om, achtervolgd door een bleek blauw licht, in de hel te worden gefolterd. Toen hij eenmaal de smaak van dit thema te pakken had vulde het verhaal zich met gruwelijke details. Er zouden brandende rivieren en bodemloze putten vol vulkanische vertwijfeling zijn waarin de bezoedelde zielen van de verdoemden, zwartgeblakerd door zonden en met lekkende vlammen, dreven. Woekeraars moesten hete munten slikken en sodomieten zouden als varkens aan het spit worden geregen. Je zou er lasteraars zien met opengesperde en opengesneden monden en hun tanden tot pulp vermalen, die alleen maar aangroeiden om opnieuw te worden verpulverd. Het schilderij zou een beeld van oneindige ellende geven en boven alles zou satan zetelen met drie schurkenkoppen, vleermuizenvleugels en Judas die half verorberd uit zijn mond hangt.

'Je zult wel begrijpen dat het schilderen van de hemel een tikkeltje saai is na zoiets,' besloot Simone. 'We hebben drama nodig, geen eeuwigdurende gelukzaligheid. Maar dit is natuurlijk onze uitdaging. Om het paradijs opwindend te maken. Een plek die je verstand te boven gaat.'

Hoewel hij overdag een handwerksman was, was hij 's avonds een beetje een dandy en droeg hij elke avond dat hij een *passeggiata* maakte een andere tuniek, maar altijd in dezelfde snit en altijd van fluweel: kastanjebruin op maandag, azuur op dinsdag, vermiljoen op woensdag, gebrande sienna op donderdag, lampenzwart op vrijdag, karmozijnrood op zaterdag en wit op zondag. Hij wreef munt op zijn tandvlees, schoor zich, waste zich en besprenkelde zich vervolgens met rozenwater. Voordat hij het atelier verliet monsterde hij zijn verschijning in een verzilverde spiegel en schikte zijn krullende haar dienovereenkomstig. Het leven was een schouwtoneel en hij was de hoofdrolspeler die zich presenteerde en parfumeerde voor het oog van de wereld.

De ware krachtproef van zijn kunstenaarstalent kwam toen de gemeenteraad van de stad een wedstrijd uitschreef om een fresco van de Kroning van de Heilige Maagd, een Maestà, te schilderen voor het Palazzo Pubblico. Alle schilders van de stad werden uitgenodigd eraan deel te nemen: Segna di Buonaventura, Memmo di Filippucio, Dietisalvi en Simone. Dit was de eerste grote niet-kerkelijke opdracht en het werk zou Duccio's gouden Maestà in de kathedraal naar de kroon steken en de gehele oostelijke muur van het gemeentehuis in beslag nemen.

Simone was vastbesloten te winnen en toog onmiddellijk aan het werk, maakte schetsen van heiligen en engelen, martelaren, apostelen en kerkvaders. Hij begon te experimenteren met koperlazuur en malachiet en kwam aanzetten met grote repen stof waarop hij zijn ontwerp van de mantel van de Maagd kon baseren. Twee assistenten werd gevraagd nieuwe manieren te zoeken om bladmetalen decoraties aan te brengen, opdat de aureolen van de heiligen zouden glinsteren in het kaarslicht als de avond viel.

'Dit is niet zomaar een schilderij,' riep hij uit; 'we moeten er de ogen van alle andere gilden mee uitsteken: van de goudsmeden, de wevers en de kleermakers. We moeten schilderen wat op aarde niet kan worden bewerkstelligd. Dat is ons geheim. We zullen het onmogelijke vormgeven.'

Paolo werd gevraagd houtskool te maken voor de voorbereidende tekeningen – de Heilige Maagd als Moeder Gods en Koningin der Hemelen, die het Christuskind in haar armen draagt, terwijl de vier patroonheiligen van de stad aan haar voeten knielen: Ansanus, Savinus, Crescentius en Victor.

'Sta eens stil,' riep Simone. 'Jij zou een volmaakte heilige zijn. 'Ga door met je werk.'

Terwijl Paolo alle wilgentwijgjes bijeenbond, begon Simone hem te tekenen. Het bleke gelaat en het blonde haar dat onder de oren krulde. De smalle neus. De lange vingers. En Paolo's vreemde stille blauwe ogen, met daarin de eindeloze verwondering, nieuwsgierigheid en verbazing.

'Welke heilige ben ik?'

'Ansanus, de jonge Romeinse edelman die als eerste de Sienezen doopte. Probeer wat spiritueler te kijken.'

'Ik voel me niet erg spiritueel.'

'Kijk dan maar sereen.'

'Mag ik niet gewoon mezelf zijn?'

'Nee, nee, dat geeft totaal geen pas. Heb je dan helemaal niet geluisterd naar wat ik heb gezegd? We moeten mannen in engelen veranderen en de hemelen laten jubelen. Kleur en blijdschap. We schilderen het oneindige,' riep Simone uit.

Meer dan driehonderd raadsleden kwamen bijeen om de opdrachtverlening te bespreken. Iedere schilder was gevraagd zijn denkbeelden te presenteren in de raadskamer waar de Signori van de Negen en de Consiglio della Campana zich rond hun tekeningen hadden verzameld. Een schilder stelde voor een triomfantelijke afbeelding te maken van de recente verwerving van Talamone en een glorieuze galerij van alle landen die kortelings waren bedwongen. Een ander kwam met een plan voor een gigantisch paneel met daarop de Slag om Montaperdi en de verovering van Montalcino; terwijl een derde een verbeelding voorstelde van de dag waarop Buonaguida Lucari de sleutels van de stad op het altaar van de kathedraal had gelegd en alles wat zij bezaten schonk aan de Heilige Maagd, hun beschermster tegen de onrechtvaardige en laaghartige Florentijnen.

Terwijl zijn rivalen hun zaak trachtten te bepleiten was Simone zowel ongeduldig als verblijd, want hij was ervan overtuigd dat geen van hen zijn visioen van goddelijke goedertierenheid kon evenaren.

'Dit is mijn voorstel,' verkondigde hij. 'Het Hemelse Hof en de Zetel van Goed Bestuur die boven ons allen staat. Ik zal de andere, de eeuwige wereld schilderen: ongeziene en onvoorstelbare taferelen. Het fresco zal een banier uit de hemel en een zegen op aarde zijn, die alle deugden omvat. Wijsheid. Stilte. Rust. Ik zal u wonderen tonen.'

Hij liep naar het venster. 'Net zoals het licht van de zuidwand voortdurend veranderd, zal ook dit schilderij voortdurend veranderen. Elke keer dat u ernaar kijkt zult u de waarheid ontdekken. De Heilige Maagd zal hoog boven ons tronen in een schitterend geborduurde mantel, een kledingstuk zo rijk en zo prachtig dat de textielbewerkers in tranen zullen uitbarsten als ze het zien. Haar troon zal een klankbord zijn voor wat zich onder haar in de raadskamer afspeelt, en haar zetel zal ons inspireren tot zowel rechtvaardigheid als genade. Zij zal ons het Christuskind aanbieden, onze verlossing uit de dood, onze gids tot het goddelijke en onze Heiland. De rol die het kind in de hand heeft zal van papier zijn, de tekst geschreven in inkt. *Liefde, gerechtigheid, gij die de wereld liefheeft.* Wijsheid van Salomo.

Alles aan deze Maestà zal de verhevenheid van de moederliefde uitdragen. Er zullen juwelen in de kleren van de Madonna sprankelen en diamanten in de tracering van het venster achter haar. In de verte zal de hemel verdiepen tot een oneindig blauw zonder grenzen, want er is geen einde aan de glorie van het paradijs. Ik zal kleuren uit de aarde, uit de ware aarde, transformeren tot iets hemels.'

Simone maakte een diepe buiging.

'Ik bied u verstilling, blijdschap en vrede. Mijn schilderij zal onze gave Gods, de eeuwigdurende hemelse overvloed en de genade van onze verlossing verbeelden. Ik heb die schoonheid gezien. Laat mij haar slechts, hier in dit vertrek, schilderen, als een goddelijke zegen over onze mooie en edele stad.'

De raadslieden zwegen. Hij had de opdracht in de wacht gesleept.

ꕥ

Tegen de tijd dat Simone naar het atelier terugkeerde was hij dronken.

'Victorie,' riep hij uit. 'Victorie dankzij St. Victor. Dit is een grote dag. We hebben onze vijanden de pas afgesneden en volgen rechtstreeks het verheven pad naar onze verlossing. De hele stad spreekt van mijn genialiteit.'

Aanvankelijk waren zijn knechten bijna bang voor een dergelijke uitbundigheid en konden zij niet begrijpen waar hun meester het precies over had.

'Ik zal het pleisterwerk gladstrijken met het dijbeen van een gecastreerd lam. Ik zal elk aureool polijsten met saffier. We zullen slagen en we zullen ze allemaal het nakijken geven. *Salute! Salute! Grandi amici!'*

Meer wijn werd geopend en Simone begon uit te weiden over zijn prestaties en vertelde iedereen die het horen wilde van zijn plannen om de eeuwigheid in verf te creëren.

'De goddelijke verstilling, dat is wat ik heb beloofd, het leven van de heilige geest op aarde. Een voorproefje van de hemel.'

'En hoe gaan we dat doen?' vroeg Paolo.

Simone leek merkwaardig onwillig die vraag te beantwoorden.

'Met genialiteit en noeste arbeid natuurlijk,' antwoordde hij korzelig.

Maar Paolo merkte dat Simone hem vreemd aankeek, alsof hij zich plotseling iets belangrijks herinnerde.

'Wat is er?' vroeg hij toen ze alleen waren.

Simone leek in verlegenheid gebracht. 'Er is iets dat ik je moet bekennen, nu we de opdracht hebben verworven.'

'Aha,' zei Paolo.

'Toen ik met de Consiglio sprak, heb ik hun een verhaaltje verteld.'

Er klonk iets door in Simones verontschuldigende toon dat Paolo verontrustte.

'Wat hield dat in?'

'Het ging over een man die onlangs in Genua gevangen heeft gezeten.'

'Ik heb de leerlingen over een dergelijk persoon horen praten. De man van een miljoen leugens.'

'Precies. Alleen vrees ik dat hij ditmaal de waarheid sprak.'

'Ga door.'

'Hij had vele jaren over de aarde gezworven en hij had de meest miraculeuze bezienswaardigheden bezocht. Hij was naar Perzië geweest, naar China en naar Indië. Hij had gouden mannen gezien. Wonderbaarlijke paleizen. Paarden die afstamden van Bucephalos. Zwermen kraanvogels die de lucht vulden. Maar toen ik hem vroeg me van het grootste van alle wonderen te vertellen zweeg hij, alsof niemand hem ooit eerder die vraag had gesteld. Hij sprak op gejaagde en heimelijke toon; vertelde me van een berg verscholen aan de rand van de wereld die de meest volmaakte blauwe steen bevatte. Het was lapis lazuli, het zuiverste blauw dat hij ooit had gezien, en het schijnt dat die kleur in alle eeuwigheid blijft bestaan.

Ik vroeg hem of hij het mogelijk achtte verf te maken van zulk gesteente, en hij vertelde me dat het, als zoiets mogelijk was, zou zijn alsof je de hemelkoepel zelve schilderde, zo prachtig en volmaakt was die kleur.

Dit heb ik aan de Consiglio verteld. Dat ik, vanaf het moment dat ik dit verhaal hoorde, vastbesloten was dat blauw in bezit te krijgen. En dat is precies wat ik van zins ben. Het zal de trots van de stad zijn.'

'Maar hoe kunnen we zulk een kleur vinden?'

'Die moet aan het einde van de wereld worden verzameld.'

'En hoe doen we dat?'

'Hier wringt hem de schoen.'

'Ga verder.'

'Ik heb hun verteld dat jij zou gaan.'

'Wat?'

'Ik kan uiteraard niet zelf gaan want ik moet me aan het schilderen wijden; maar jij, jij die weet van kleur, die van kleur houdt, die kleur begrijpt... denk eens aan de vreugde die het zal geven zo'n ontdekking te doen. Een blauw dat niet vluchtig of kortstondig is doch permanent en eeuwig.'

'Maar ik kan nauwelijks mijn weg naar buiten vinden. Hoe zou ik ooit zo'n reis kunnen maken?'

'Ik zal je een gids meegeven.'

'Daar heb ik niets aan.'

'Hij is heel betrouwbaar.'

'Wie is hij?'

'Jacopo, een juwelenhandelaar. Hij is een Venetiaan, net als jij. Ik weet zeker dat je zijn gezelschap als aangenaam zult ervaren.'

Paolo was zo uit het veld geslagen dat hij niets anders wist te doen dan de woordenwisseling voortzetten. 'En waarom gaat hij?'

'Omdat hij geobsedeerd is door jade en vastbesloten is naar China te gaan om het te vinden. De berg ligt nagenoeg op de route. In Badachshan.'

'Maar dat is duizenden kilometers ver.'

'Denk eens aan het avontuur. Aan hoe weinigen zo'n reis hebben ondernomen.'

'En hoe weinigen het hebben overleefd. U bent niet goed wijs.'

'Jacopo is er erg op gebrand. Ik heb hem verteld dat jij een uitzonderlijk oog voor kleur hebt.'

'Dat is heel vriendelijk van u.'

'Je zou dankbaar moeten zijn. Wat een groots avontuur.'

'Ga dan zelf.'

'Helaas, mijn talent dient hier te blijven.'

'En hoe lang dacht u ook weer over het schilderij te doen?'

'Ongeveer een jaar.'

'Maar dat is te kort.'

Simone schonk zich nog wat wijn in. 'Maak je geen zorgen over tijdslimieten. Dat stimuleert hen alleen maar.'

Paolo begreep niet waar Simone de gore moed vandaan haalde. 'Even kijken of ik dit goed begrijp. U hebt beloofd dat Jacopo en ik een reis zullen ondernemen naar de rand van de wereld om een kleur te zoeken waarvan we niet weten of zij bestaat en binnen een jaar terug te keren?'

'Of twee. Dat doet er niet zoveel toe, zolang jullie maar daadwerkelijk terugkeren.'

'En als ik dat weiger?'

'Dat doe je niet. Je houdt van me. Je houdt van kleur. Je zult er je fortuin mee maken. En dan zullen we, in verf, de tijd zelf betreden. Het blauw zal ons toegang verschaffen tot het mysterie en ons de aard van Gods schepping en onze oneindige en eeuwige toekomst doen begrijpen. Door dit volmaakte blauw te aanschouwen zullen wij een glimp opvangen van de onsterfelijkheid.'

'Maar als Jacopo me nu eens niet wil meenemen?'

'Dat wil hij wel. Jij zult zijn sabbatsman zijn.'

'En wat is dat?'

'Ik kan me nooit precies herinneren hoe het zit. Jij draagt dingen voor hem op gewijde dagen omdat hij dat niet mag. Zoiets is het. Zaterdags heb je het dus druk. Vanavond komt hij bij ons eten.'

'Maar waar moet ik van leven?'

'Ik zal je wat geld geven. En je moet gewoon doen wat de *verixelli* ook doen. Je neemt wat stukjes glas van ons en verkoopt die als edelstenen. Met een paar echte saffieren tussen het glas zou je aardig je zakken kunnen vullen.' Simone leek overal aan te hebben gedacht.

'Dan zou ik moeten liegen.'

'Je hebt al geleerd te liegen over je gezichtsvermogen. Zo'n grote onwaarheid zou het nou ook weer niet zijn; alle kooplieden overdrijven de waarde van hun koopwaar.'

'En als het me niet lukt?'

'Het zal je lukken. Ik heb gezien hoe bevlogen je van iets kunt zijn. Denk je eens in wat zo'n ontdekking kan betekenen. Jij wilde opwinding in je bestaan. Die heb ik je verschaft. Hoe hadden we anders die opdracht kunnen binnenhalen?'

Die avond bracht een kleine joodse man een bezoek aan het atelier. Hij moest een jaar of vijftig zijn, want zijn baard was grijzend en zijn rug begon al krom te trekken van ouderdom. Om zijn hoed was een gele band bevestigd.

'Jacopo,' riep Simone uit, 'mijn vriend. De man die de weg weet.'

'Ik ben niet goed wijs om hier te komen,' mopperde de oude man, 'en ik doe het ook alleen maar uit goedgunstigheid jegens je oom.'

'Integendeel,' zei Simone, 'jij bent juist degene die hiermee een gunst wordt bewezen.'

'Ik heb gehoord dat je een jongen hebt die me op mijn reizen zou kunnen helpen. Is dit hem?'

Simone knikte.

Jacopo keek naar Paolo alsof hij een slaaf op de markt kocht en keurde zijn lengte, gewicht en kracht. 'Men heeft me verteld dat jij een scherp oog hebt.'

'Ik kan steen van steen en glas van glas onderscheiden.'

'Laten we dan maar van wal steken.'

'Nu al?' vroeg Paolo.

'Waarom niet?' Jacopo stak zijn hand in zijn zak en haalde een fluwelen beurs tevoorschijn waaruit hij vier edelstenen nam. 'Drie hiervan zijn vals: glas. Eén is er echt. Vertel mij maar eens welke dat is.'

Paolo begon met een saffier.

'Deze is niet echt.'

'En hoe weet je dat?'

'Hij is te helder. Een saffier is als de donkerste zee...'

'Ga door...'

'Als je hem tegen het licht houdt, verandert hij. De zwakke plekken breken het licht. Deze steen is te volmaakt. Er horen onvolkomenheden in, onzekerheden. Als je mensen voor de gek wilt houden, moet je zorgen dat er een onvolkomenheid in het glas zit.'

'Wanneer heb je voor het laatst een saffier gezien?' vroeg Jacopo.

'Toen ik klein was. Mijn moeder had er een in haar ring.'

'Kun je je dat nog herinneren?'

'Ik kan het blauw van een edelsteen en het blauw van glas onderscheiden.'

Toen hield Paolo een robijn tegen het licht. Hij bracht hem tot vlak voor zijn oog en bewoog hem toen weer verder van zich af.

'Net als bloed,' zei hij.

'Wat voor bloed?'

'Vers ongeronnen bloed.'
'De grote Tartarenkeizer heeft ooit beweerd dat hij een hele stad zou geven voor zo'n steen.'
'Waarom?' vroeg Simone.
'Misschien had hij te veel vergif in zijn lijf, of te veel verdriet.'
'Kunnen robijnen zulke kwalen genezen?' vroeg Simone.
'Sieraden herbergen vreemde krachten,' betoogde Jacopo. 'Men zegt dat een halsketting van koraal als remedie werkt tegen akelige dromen en de nachtelijke angsten van kinderen, en dat kruipende beestjes op de vlucht gaan voor de geur van git.'
'Een hele geruststelling.'
Paolo bekeek de robijn nog één keer van nabij. 'Dit is de echte steen.'
'Je hebt gelijk,' zei Jacopo, even geïmponeerd.
Simone glom van trots. 'Ik heb je toch gezegd dat je veel aan hem zult hebben.'
Jacopo was nog steeds niet overtuigd. 'Maar ik heb ook gehoord dat hij niet in de verte kan zien. Hoe kun je me waarschuwen als er gevaar dreigt?'
'Daar zult u zelf op moeten letten,' antwoordde Paolo.
De mannen waren geschrokken van zijn directheid.
'Waarom zou ik dan geen jongen meenemen die uitstekend kan zien?'
'Omdat niemand Paolo's talenten heeft,' zei Simone.
'En heeft hij een goede inborst?'
'Voorbeeldig...'
'Voor een christen, wat nog niet veel zegt.'
Simone glimlachte. 'Er zijn ook goede christenen.'
'Dan hoop ik dat je me er ooit eentje kunt aanwijzen...'
Jacopo wendde zich tot Paolo. 'Hoe komt het dat je dergelijke dingen weet?'
'Dat komt omdat ik alles alleen van dichtbij kan zien.'
Jacopo keek naar de wijze waarop Paolo nog steeds het glas en de edelstenen bestudeerde. Er ging een kracht uit van zijn concentratie die hij nooit eerder had gezien. 'We zullen een

vreemd paar vormen. Ik kan niets zien van dichtbij en jij kunt niets zien in de verte...'

'Je neemt hem dus met je mee?' vroeg Simone.

Jacopo haalde zijn schouders op. 'Mijn leven is riskant; en ik heb nooit een zoon gehad. Laat ons samen reizen.' Hij leek in een opwelling tot dat besluit te zijn gekomen en begon meteen met het stellen van de arbeidsvoorwaarden.

Paolo moest zijn persoonlijke dienaar zijn tijdens de sabbat en een metgezel gedurende de rest van de week. Hem werd gevraagd erop toe te zien dat de gebedsboeken en de agenda van kerkelijke gedenkdagen altijd binnen handbereik lagen en hij moest vuurtjes stoken en alles dragen wat gedragen diende te worden en boodschappen overbrengen en hij moest, en dat was het allerbelangrijkste, op de dag van verrukking Jacopo's geldbuidel beheren.

Hij vertelde Paolo dat ze, waar dat maar mogelijk was, zouden verblijven in joodse gemeenschappen bij zijn familie, vrienden en zakenrelaties: bij Jacopo de Nathan in Ragusa, bij Levi di Jacopo in Candia en bij Domenico Gualdi in Negroponte.

'Hebt u die reis al vaker gemaakt?' vroeg Paolo.

'Vele malen.'

'Hoe lang duurt hij?'

'Dat hangt ervan af in hoeverre het ons meezit. Negen of tien maanden om het einddoel van onze reis te bereiken, als we snel zijn en de Heer met ons is...'

'En dezelfde tijdspanne om terug te keren?'

'Wederom, als we gezegend zijn: *De aarde van de Heer is vol van de goedheid van de Heer.*'

'En u handelt in jade.'

'Inderdaad.'

Jacopo haalde een stuk tevoorschijn om het hem te laten zien, en Paolo keek naar de ongebruikelijke dooraderde helderheid, zo bleek als het vlees van een lijk.

'Maar hier kun je uiteraard geen verf van maken,' besloot Jacopo, terwijl hij de jade terugdeed in zijn fluwelen buideltje.

'Nee,' zei Simone. 'Zoals je weet heb ik Paolo gevraagd een

andere kleur voor me te vinden: het blauw van de hemelen, de kleur van de eeuwigheid.'

'Een bescheiden plan,' zei Jacopo met een glimlach.

'Als ik het zie, zal ik het als zodanig herkennen,' zei Paolo.

'Dan hoop ik dat we het daarover eens zullen zijn als we het vinden.'

ꙮ

Drie weken later vergezelde Simone Paolo tot aan Ancona, waar hij scheep zou gaan voor de overtocht naar Constantinopel. Vervolgens zou hij zijn reis over land voortzetten en dwars door Perzië naar China reizen om hun reis te voltooien in Tun-huang, waar de handelsroutes elkaar kruisten.

De haven bevond zich aan de noordoostelijke kust en lag vol met boten die boven elkaar uittorenden en achter elkaar in het niet vielen, bezaaid met breeuwers, timmerlieden en touwslagers, metaalbewerkers, scheepsbouwers en smeden die allemaal werkten alsof er een tweede zondvloed in aantocht was.

'Dit schip is verzekerd voor driehonderd dukaten. Stel je eens voor,' verklaarde Simone, wijzend op een grote koopvaardijgalei. 'En dit voor tweehonderd. Venetiaans, uiteraard.' Hij vestigde Paolo's aandacht op een achtentwintigriems brigantijn. 'Als de bemanning kundig genoeg is kan elk van die boten je tot aan de rand van de wereld brengen.'

Hij bleef naast hun handelsgalei staan en zwaaide naar de kapitein die toezicht hield bij het laden van zout dat als ballast zou dienen, zakken met meel en balen met wollen kleren.

'Kent u hem?' vroeg Paolo.

'Natuurlijk niet. Maar hij dient te weten dat wij van gewicht zijn.'

Zij wachtten tot een klein groepje zeelieden was gepasseerd, dat een hymne zong waarin St. Phocas om bescherming werd gevraagd.

'Na jou,' gebaarde Simone, wijzend op de loopplank.

Toen Paolo het schip betrad, kon hij nauwelijks geloven dat

hij zich aan zulk een reis had durven wagen. Waar was hij mee bezig? Hij keek op en probeerde het hoogste punt, de *gabbia*, en het kraaiennest in de grootmast te onderscheiden. Het leek nog hoger dan de klokkentoren in Murano. Een groot web van touwen, hennep, jute en zeil ontvouwde zich boven zijn hoofd. De lijnen vervaagden in de verte, een vreemde oneindigheid tegen de hemel.

Simone maakte kennis met de kapitein, regelde de betaling en informeerde naar de route en de duur van de reis.

'Stefano!' riep de kapitein.

Een jongen van naar schatting een jaar of elf, met een pokdalig gezicht, kwam over de loopplank aanrennen.

'Geef deze jongen een rondleiding over het schip.'

'Jawel, kapitein.'

Stefano ging Paolo voor naar de loefzijde van de grote mast en vroeg hem omhoog te kijken naar de bramsteng om de Leonische vlag van St. Marcus daar boven te zien wapperen. Het heldere blauw van de hemel werd doorsneden door een wirwar van tuigage: boelijnen, weeflijnen, onderwant, hijstouwen en stagen, en Stefano wees hem op het vooronder, de sneb en het want; de boegspriet, het sprietzeil, de fokkenmast, de bezaansmast en de loggermast. Hij deed Paolo voor hoe hij moest kijken door de blindering, het afneembare pijlenscherm waardoor de boogschutters hun aanvallers zouden bestoken, en hij vertelde hem hoe belangrijk het was de mannen die de touwen en het zeil bedienden niet voor de voeten te lopen. Toen nam hij Paolo mee een kajuittrap af en door een luik naar het duistere benedendeks.

'Ik zal je elke dekbalk, beting en kooi laten zien,' zei hij lachend en hij vertelde reisverhalen die illustreerden wat zo'n avontuur zou kunnen inhouden: van aardbevingen van veertig ellen hoog, van walvissen van driehonderd meter lang en van palingen die, zo had hij gehoord, zelfs nadat zij waren verorberd een man konden wurgen en in de keel van hun slachtoffer kronkelend hun weg wisten te vinden. Er waren mensen uit de Oriënt teruggekeerd met verhalen over reuzen met tanden die honderd keer zo groot waren als die van een mens; over kannibalen en pygmeeën, tovenaars en waarzeggers, over uitgestrekte oceanen en bergen die tot in de hemel reikten; van winden die een volwassen mens konden optillen en van regens die hele steden konden wegvagen.

Op het roeidek namen de roeiers al plaats op de doften. De lucht was vochtig van het zweet en er was maar weinig ruimte om te bewegen of te ademen. Paolo voelde zich een indringer in een duistere en geheime wereld van mannen, geweld en avontuur.

'Zo,' zei Simone toen ze op het bovendek waren teruggekeerd, 'dan is het nu tijd om afscheid te nemen. Hier heb je mijn beurs.' Hij overhandigde Paolo een leren portefeuille. 'Er zitten tien florijnen in. Vergeet niet wat ik je heb geleerd. Reis voortvarend en zonder vrees. En bezorg me de kleur van de eeuwigheid.'

'Ik kan niet geloven dat ik hierin heb toegestemd,' antwoordde Paolo.

'Houd goede moed. Wie zal ooit zo'n belangwekkend leven hebben geleid als het jouwe? Denk eens in wat een held je bij terugkeer zult zijn.'

'Als ik ooit terugkeer.'

'Natuurlijk doe je dat.'

Simone wist niet goed hoe hij vaarwel moest zeggen en gaf Paolo dus maar een speelse stomp tegen zijn schouder die zijn leerling veel meer pijn deed dan hij wilde toegeven. 'Ik zal je uitwuiven als het schip zee kiest; misschien zul je het niet kunnen zien, maar geloof me, ik zal je groeten.'

'Dan zal ik uitkijken naar uw groet.'

'Vaarwel.'

Simone boog zich naar voren en probeerde een vaderlijke omhelzing. Toen klonk er een bel, een ruk aan de ankerketting en een doordringende kreet. Plotseling begonnen de mannen benedendeks te roeien en onderwijl te zingen, uitvarend met het tij, alles wat licht was achterlatend. De figuurtjes op de wal waren vaag en onduidelijk, en Paolo keek naar zee, naar het pad dat voor hen lag. Hij voelde hoe het water onder hen dikker werd terwijl het schip poogde zich een weg te banen door de verraderlijke vaargeulen. Meer noordwaarts lag een aantal zandbanken, goudgebleekt in de avondzon, zich trots verheffend tegen de deinende zee. Hij probeerde nog een keer om te kijken naar de stad om zich later te kunnen herinneren wat zij achterlieten, het in zijn geheugen te prenten, maar het was al te laat. Hij kon geen spoor van Simone ontdekken. Alles was onduidelijk geworden.

Hij vond zich een weg naar het onderdek en vroeg Stefano of hij niet beter kon trachten Jacopo te vinden.

'De oude jood? Ik zal je bij hem brengen.'

Toen hij zijn beschermer eindelijk had gevonden zag Paolo dat Jacopo zijn mouwen had opgestroopt en een gebedsriem aan zijn linkerarm en nog een om zijn hoofd had gebonden. Hij stond met zijn voeten aaneengesloten, zijn handen over zijn hart gevouwen en keek in de richting van Jeruzalem. Terwijl hij de woorden van de amida prevelde, boog hij viermaal.

Hij bad zonder zich bewust te zijn van Paolo's aanwezigheid.

Zij die de zeeën bevaren, die zaken doen op de grote wateren – zij zagen de werken van de Heer, en zijn wonderen in de diepte: want Hij gebood en deed de storm opsteken, die de golven deed oprijzen.

Zij werden opgetild tot in de hemelen en daalden af tot in de diepste diepten; hun zielen smolten van ontberingen; zij werden heen en weer geslingerd en waggelden als een dronkeman en al hun wijsheid werd verzwolgen – in hun kommer riepen zij de Heer aan en Hij bevrijdde hen uit hun benauwdheid. Hij deed de storm bedaren, opdat de golven daardoor weer kalmeerden. Toen waren zij verheugd over die stilte en hij voerde hen naar de haven die hun bestemming was. Laat ons de Heer danken voor Zijn genade en voor Zijn schitterende werken ten behoeve van de mensenkinderen!'

Toen hij klaar was, wendde Jacopo zich tot Paolo. 'Ga zitten waar je wilt en eet samen met mij. Ik heb challe.' Hij dempte zijn stem. 'Gemarineerde haring. Ik heb zelfs een paar kichlachkoekjes.'

'Wat zijn dat?'

'Och hemel.' Jacopo glimlachte. 'Ik zie dat ik je nog een hoop zal moeten leren.'

Hij deed zijn bidsjaal af, waste zijn handen met water uit een kruik, droogde die aan een handdoek af en strooide toen zout op het brood.

'Ik heb geen flauw idee hoelang de reis gaat duren,' zei Paolo.

'Je moet vertrouwen hebben. *Vrees voor mensen spant een strik; maar wie op de Here vertrouwt is onaantastbaar.*'

'Het boek Spreuken.'

'Ken je dat citaat?' Jacopo was zowel nieuwsgierig als geamuseerd. 'Maar natuurlijk; jij gelooft in *die man.*'

'Zoals mijn moeder het mij heeft geleerd.'

'De man die binnen één generatie de hemel beloofde.'

'Daar geloof ik in.'

'Maar waar is hij dan?'

'Ik heb geleerd dat hij niet voor deze aarde is.'

Jacopo glimlachte alsof Paolo in zijn valstrik was gelopen. 'Maar hij *heeft* zijn volgelingen verkondigd*: Voorwaar, Ik zeg u, dit geslacht zal geenszins voorbijgaan, voordat dit alles geschiedt.* Hoe kan hij de Messias zijn geweest, als wij nog steeds op zo'n verlossing wachten? *En dan zullen zij de Zoon des mensen zien komen op de wolken, met grote macht en heerlijkheid. En dan zal Hij zijn engelen uitzenden en zijn uitverkorenen verzamelen uit de vier windstreken.*'

'Hebt u dat gelezen?' vroeg Paolo.

'En ik heb geconstateerd dat er niets van klopte. Zijn belofte is hij niet nagekomen.'

'Dan moeten wij vertrouwen en liefhebben, zoals mijn moeder gelooft.'

Jacopo lachte. 'Ik wil je moeder niet beledigen, maar ik zie weinig vertrouwen en liefde van jouw geloofsgenoten. Jullie prediken armoede doch snakken naar rijkdom; jullie zeggen dat de joden inhalig zijn, maar jullie komen naar ons toe om geld te lenen: jullie studeren met ons, maar verklaren dat de talmoed godslasterlijk is; en dan, alsof dat nog niet voldoende is, worden wij vervolgd...'

'Ik heb daar niets van gemerkt...' zei Paolo.

'Als een jood gulhartig is, dan probeert hij stroop te smeren; als hij spaarzaam is dan vindt men hem een gierigaard. Als hij trots is dan is hij hoogmoedig; maar als hij nederig is dan is hij meteen kruiperig. Zelfs als hij gedoopt is in jullie geloof dan wordt hij nog steeds als een jood beschouwd.'

'En toch was Christus een jood.'

'Dat was hij,' zei Jacopo. 'Misschien kun je de christenen die we op onze reis ontmoeten die waarheid nog eens onder hun neus wrijven.'

Vlak voordat de nacht viel liep Paolo opnieuw de trap op naar het hoofddek en toen naar de voorsteven onder de fokkenmast. Hij keek hoe de hemel langzaam verduisterde en zowel de zee als de einder vulde met de diepste en donkerste tinten blauw. Hij probeerde te begrijpen hoe het moest zijn om te leven zonder ergens een spoor van land te zien, moederziel alleen in de immens uitgestrekte oceaan.

En terwijl hij zo de nacht in tuurde, besefte hij dat zijn wereld zich heel ver had ontplooid, ver van zijn eigen bekrompen wereldje, veel verder dan hij ooit voor mogelijk had gehouden, ver in de oneindigheid.

CONSTANTINOPEL

Met volle zeilen zette het schip er flink vaart achter en boekte goede vooruitgang in de richting van Ragusa, aan de Dalmatische kust. Paolo leerde al snel zich aan te passen aan de benauwde leefomstandigheden, de stank van mensen en dieren en het karige voedsel; maar het contrast tussen de duisternis benedendeks en het felle licht boven deed pijn aan zijn ogen. Hij verlangde naar een vaste plaatsbepaling waar hij kon kiezen tussen licht en schaduw; naar de vrijheid een andere kant op te reizen; naar afzondering. Hij besefte dat hij alleen kon overleven als hij zich zo onopvallend mogelijk opstelde en zich zo vertrouwd mogelijk maakte met het schip, alsof hij blind was en de afmetingen en richtingen in zijn geheugen prentte en zich de dagelijks terugkerende routine van werk, zeil, voedsel, arbeid en rust eigen maakte.

Zijn eerste taak was het lossen van de voorraden, terwijl Jacopo wijn verkocht en zilver kocht. Hij moest elke transactie te boek stellen en hun goederen elke dag controleren en zien of de kleding niet beschadigd was en het voedsel niet bedorven, en flessen olie opnieuw afsluiten en kruiken wijn verzegelen.

Tijdens de reis begon Jacopo zich merkwaardig verantwoordelijk te voelen voor zijn pupil. Hij bekommerde zich erom dat hij warm genoeg gekleed was zodat hij geen kou kon vatten. Hij lette op zijn dieet en ried Paolo aan geen vlees te eten maar in wijn gekookte vis, naar een recept van zijn vrouw Sofia. Hij moest ook zoveel mogelijk fruit eten om zijn nieren gezond en zijn urine helder te houden. Tegen de tijd dat ze Candia bereikten, had Jacopo zich bijna de rol van vader toegemeten en waarschuwde hij zijn metgezel alle verlokkingen van de vrouwen in de stad uit de weg te gaan omdat een beet van een Kretenzische vrouw even fataal kon zijn als de syfilis van haar faveurtjes.

Paolo had nog geen vrouwen gezien die hem zouden kunnen verlokken en vanwege zijn bijziendheid kostte het hem sowieso moeite er eentje in het vizier te krijgen. Als hij een meisje goed wilde bekijken, moest hij zo dicht bij haar gaan staan dat het voorwerp van zijn beoogde affectie zich onmiddellijk zou afvragen wat hij in zijn schild voerde en hem verdenken van liederlijkheid of diefstal. De enige kans op een treffen bevond zich op de drukke marktpleinen van de havensteden en eilanden die de vrouwen bezochten om proviand in te slaan. Daar speurde hij naar ogenblikken van schoonheid – de golving van een lok haar, een volmaakte mond, de ronding van een borst. Evengoed waren dergelijke momenten zo vluchtig en leken de vrouwen zo onbereikbaar dat Paolo zich vertwijfeld afvroeg of hij ooit de geneugten des vlezes zou smaken. Niettemin drong Jacopo erop aan dat hij waakzaam bleef. Een man moest al het mogelijke doen om verleiding en wellust te vermijden.

Toen hij informeerde hoe het schrikbewind van wellust kon worden omzeild, ried Jacopo hem aan dat hij maar het beste dadelijk zijn baard kon laten staan, daar, in zijn ervaring, de meest wellustige mannen altijd gladgeschoren waren.

‘Een baard,’ vertelde hij Paolo, ‘is een teken van wijsheid en volwassenheid.’

Paolo antwoordde dat zijn huid zo bleek en zijn haar zo blond was dat hij zich afvroeg of iemand ooit het onderscheid zou opmerken of hij een baard had of niet, maar Jacopo was onvermurwbaar en wilde per se dat hij het zou proberen.

Er zat weinig schot in.

Elke dag betastte Paolo zijn gezicht om te voelen of zijn baard groeide. Hij krabbelde zo vaak over de stoppeltjes dat het op een zenuwtrek begon te lijken. Dan tuurde hij langs zijn neus om naar de opkomende haartjes op zijn bovenlip te kijken. De piekjes waren helblond, lichtbruin en zelfs kastanjebruin. Het was alsof de baard niet van hemzelf was en een ander wezen bezit had genomen van zijn gelaat.

'Het bevalt me niks,' zei hij tegen Jacopo, doch zijn beschermer wilde van geen opgeven horen en betoogde dat een baard niet alleen wijsheid en scholing suggereerde, maar het profiel van een man ook karakter gaf. Hij compenseerde gebrek aan haar op het hoofd, daar de haarzakjes op kin en wangen veel krachtiger waren. Bovendien was het economisch, daar je het geld voor de aanschaf van scheermesjes en tijd uitspaarde; en, wat het belangrijkste was, het beschermde niet alleen je gezicht tegen de warmte in de woestijn, maar je gaf tevens geen aanstoot in het land van Mohammed.

Het onderwerp ging Jacopo zeer na aan het hart. Mannetjeshagedissen, vertelde hij Paolo, lieten tijdens hun baltsgedrag hun baard staan; Noach en Methusalem moesten beiden baarden hebben gehad die meer dan negenhonderd jaar oud waren; en de vrouwelijke christelijke heiligen, Paula en Uncumber, waren allebei aan ontvoering ontsnapt door spontaan een miraculeuze knevel te demonstreren.

Tegen de tijd dat ze Constantinopel bereikten, was Paolo's baard al aardig in de groei en begon hij bijna plezier te krijgen in het avontuur. Hij had nog nooit zo'n majestueuze verzameling gebouwen bij elkaar gezien: de stad spreidde zich in al haar glorie uit langs de kust en haar moskeeën en minaretten blonken in het avondlicht alsof zij door één enkel gebaar van Gods hand waren geschapen.

Toen zij eenmaal van boord waren gegaan, kwamen de twee mannen terecht in een doolhof van nauwe straatjes vol met slenterende muzikanten, rondtrekkende jongleurs, plotselinge mensenmenigten en intense hitte. Er waren zuurverkopers, kruidenventers, halvamakers en kinderen die met kersen en pistachenoten leurden. Er waren barbiers, bakkers, beenhouwers en baby's; profeten en priesters; hadji's en hoja's, juristen en juwelenverkopers. Diamantslijpers en steensnijders bewerkten turkoois uit Anatolië, amber uit het Oostzeegebied, agaat en amethyst van over de oceanen. Jacopo bleef bij elk kraampje staan, nam van alle stenen de maat, woog ze en keurde ze, drukte ze tegen zijn wang om hun temperatuur te beoordelen en schatte de waarde van elk monster dat hem te koop werd aangeboden.

Constantinopel was een stad van grandeur en misdaad, vertelde hij Paolo, waar het beste en het slechtste van de menselijke natuur bijeenkwamen: de heiligste mannen mediteerden te midden van criminelen; de vroomste vrouwen waren gedwongen zich te bewegen tussen moordenaars en hoeren. Paolo keek naar de vrouwen die met ontblote borsten op straat stonden en vroeg zich af hoeveel het zou kosten om ze te mogen aanraken. Hij had moeite hun leeftijd zowel als hun schoonheid te beoordelen, en elke keer als ze er in de buurt kwamen, duwde Jacopo ze vol afkeer snel weg.

Hij waarschuwde Paolo dat dit een stad van hitte, kabaal en vreemde zaken was, een stad die zo luidruchtig, zo dichtbevolkt en zo verwarrend was dat niemand, als gevolg van de herrie en het lawaai, zijn ogen of oren kon vertrouwen. Hij bezwoer dat niemand hier het zou merken als de bazuin die de Dag des Oordeels aankondigde zou klinken.

Niets was blijvend, alsof de stad nooit tot stilstand zou komen. Iedereen was voortdurend onderweg uit angst dat ze het einde van de wereld, de verlossing uit de ellende of de sleutel tot het geluk zouden missen. Men was op zoek naar wonderen en reisde wanhopig rond op zoek naar elders, ongeacht waar, zolang het maar elders was. Stalletjes en stoeltjes werden geplaatst om angsten te sussen en elke mogelijke vraag die een man of vrouw verkoos te stellen te beantwoorden: 'Hoe oud zal ik worden?' 'Zal ik gezond blijven?' 'Hoe zal ik aan mijn einde komen?' Anderen waren specifieker. 'Zou ik een boerderij moeten kopen?' 'Moet ik met mijn nicht trouwen?' 'Ben ik de vader van het kind van mijn vrouw?' Er waren toekomstvoorspellers, handlezers en waarzeggers die allemaal op verschillende manieren in de toekomst keken: door middel van contemplatie, trance of goddelijke bevlogenheid; door een stukje stof of een sieraad vast te houden; door spieren te betasten, lootjes te trekken, kaarten om te draaien; of door eenvoudig een vlucht duiven te bestuderen.

Uur na uur gaven de mensen hun geheimen prijs en luisterden zij hoe hun persoonlijkheden werden verklaard en bevestigd: hun zwakheden, verwachtingen en angsten; hun verhoudingen en verliezen, hun dromen en debacles. De ene charlatan na de andere bevestigde dat hun klanten, hoewel ze uiterlijk misschien wel zelfbewust leken, zo kwetsbaar als kinderen konden zijn; dat vrouwen ontevreden waren over hun haar en mannen bang waren dat het hunne zou uitvallen; dat sommigen als kleine kinderen zo bang waren voor honden, dat sommigen per se aan het water moesten wonen en dat anderen een litteken op hun linkerknie hadden. Christenen kregen te horen dat een zekere Maria belangrijk voor hen was geweest of dat ooit nog eens zou worden. Joden kregen te horen dat een ver familielid, waarschijnlijk een zekere David, vaak in hun gedachten was. En de mohammedanen werd op het hart gedrukt dat niets de Profeet ontging.

Toen ze zoete halva en gebakken deeg, marsepein en suiker aten, vroeg Paolo of hij ook mocht informeren naar zijn toekomst en zelfs naar zijn verleden. Zou hij zijn echte moeder of vader ooit ontmoeten? Zou hij het blauwe gesteente vinden? Zou hij ooit ware liefde ervaren?

'Het is niet goed om de toekomst te kennen,' antwoordde Jacopo. 'Dat is alleen voorbehouden aan God.'

'Maar hoe zit het met het verleden? Als ik dat nu ook al niet begrijp?'

'Je hebt je leven lang de tijd om je verleden uit te vogelen,' antwoordde Jacopo.

'Maar ik wil het nu weten.'

Jacopo keek bezorgd. 'Je weet dat die lui charlatans zijn.'

'Waarom gaan de mensen dan naar ze toe?'

'Net als jij hebben ze behoefte aan hoop.'

'Geef mij dan ook wat hoop.'

Uiteindelijk liet Jacopo zich vermurwen en zei hij tegen Paolo dat hij wel voor een gesprek met een Latijnsprekende waarzegger zou betalen, al was het maar om zijn pupil te leren hoe bedrieglijk de wereld kon zijn. Hij gaf Paolo drie dukaten en ze liepen op een tent af die als goud leek te gloeien.

'Laat je raden over je lot,' adviseerde hij.

In de tent, achter een tafeltje, zat een man met een smal gezicht en een baard die bijna blauw was. Hij was gekleed in een felgele cape met een capuchon. Zijn ogen waren gesloten en hij leek in een soort trance te zijn. De man boog zijn hoofd in de richting van een kommetje dat voor hem stond en inhaleerde een stof die opmerkelijk veel op zwarte peper leek. Vervolgens ging hij achteruit zitten, spreidde zijn armen wijd en nieste langer en luider dan Paolo ooit had gehoord.

'*Veni*,' zei de man.

Hij haalde nog twee kommetjes tevoorschijn en legde in het Latijn uit dat hij heel veel over iemands toekomst te weten kon komen door eenvoudigweg de richting en de duur van de menselijke nies te meten. Het zou Paolo vijf dukaten kosten. Dat leek misschien duur, maar hij zou hem kunnen vertellen in welke richting zijn gast diende te reizen om zijn lotsbestemming te vinden, en voor hoe lang. Hij kon, in bepaalde omstandigheden, zelfs de tijdsduur van de reis bepalen en wanneer men vermoedelijk naar huis zou terugkeren.

'Ik heb slechts drie dukaten.'

'Dat is in orde. Geef maar op wat je kunt missen.'

Paolo betaalde het geld en ging voor de kommetjes staan. De man in het gele gewaad hield iets omhoog dat eruitzag als een kompas en moedigde Paolo aan te beginnen.

Het eerste kommetje rook sterk naar paprika. Paolo snoof de geur op, wendde zich naar rechts en nieste toen drie keer weg van de tafel.

'Zuidwaarts,' riep de man.

Hij hield Paolo het tweede kommetje voor en nodigde hem uit nogmaals te snuiven. Dit was peper.

Paolo inhaleerde en zijn hele lichaam schokte. De tranen stroomden over zijn wangen van de hitte en het poeder. Hij voelde een enorme nies in zich opwellen totdat hij hem niet langer binnen kon houden.

De daaropvolgende nasale explosie was zo krachtig dat hij erdoor werd opgetild en zijn lichaam uit zichzelf een wenteling maakte.

Paolo nieste vijf keer.

'Oostwaarts,' liet de man weten. 'Vijf maanden.'

'Genoeg, genoeg,' jammerde zijn patiënt.

'Nog één keer,' instrueerde de tovenaar. 'Jouw lot hangt ervan af.'

Paolo keek naar het kommetje met geel poeder dat voor hem stond. Zou het komijn kunnen zijn? Hij inhaleerde zo licht als hij kon en begon toen opnieuw te niezen; zijn lichaam verkrampte en toen hij klaar was, bemerkte hij dat hij weer precies op dezelfde plaats stond als toen hij de tent was binnengekomen.

De man reikte hem een warme handdoek aan. 'Snuiten,' beval hij. 'Fris je maar even op.'

Paolo gehoorzaamde. Zijn ogen brandden van de pijn en de hitte.

'Rust nu maar even uit,' beval de tovenaar. 'Ga in deze stoel zitten en doe je ogen dicht.' Paolo voelde zijn ogen afkoelen toen de man er iets op legde dat aan komkommer deed denken.

'Het belooft een lange reis te worden,' begon de tovenaar, 'en niet zonder gevaren. Veel hitte. Je zult het heel warm krijgen. Op een gegeven moment zul je misschien zelfs denken dat je laatste uur heeft geslagen.'

'Kunt u dat allemaal opmaken uit de wijze waarop ik nies?'

'Nee. Dat is je lot. Maar ik raad je aan eerst zuidwaarts te reizen, met welke vrienden het ook mogen zijn die je vergezellen. Ga niet alleen. Vervolgens moet je, en zul je, oostwaarts reizen. Naar het verre, verre oosten. Vele maanden lang.'

'Vijf maanden...' opperde Paolo.

'Dat zit er dik in. De niezen liegen zelden...'

'En dan?'

'Toen je ophield met niezen stond je weer in je uitgangspositie. Dat betekent dat je naar huis zult terugkeren. En dat je duidelijker zult zien...'

'Weet u dan dat ik slechtziend ben?'

'Integendeel. Ik weet dat je een zeer scherp oog hebt. Scherper dan dat van een havik.'

'Maar alleen van dichtbij.'

'Dan zul je daar moeten kijken.'

'En zal ik de kleur vinden die ik zoek?'

'Dat kan ik niet zeggen.'

'Zal ik mijn echte moeder of vader leren kennen? Zal ik liefde vinden? Zal ik ongeschonden terugkeren?'

'Je zult vinden wat je nodig hebt: en je zult leren te leven met wat je hebt.'

'Is dat alles?' vroeg Paolo, teleurgesteld over zo'n conclusie.

'Denk na over wat ik je heb verteld,' zei de man. 'Er zijn je grote dingen onthuld.'

ꙮ

Jacopo maakte gebruik van Paolo's teleurstelling door hem op het hart te drukken dat de dwaasheden van zulke charlatans uitsluitend zouden moeten zorgen dat hij zich des te harder op het ware geloof concentreerde. Die lieden maakten misbruik van de menselijke bijgelovigheid en leidden hun lichtgelovige klanten weg van de zegeningen van het geloof.

Maar toen ze door de stad wandelden, te midden van de ruïnes van gevallen rijken en uitgestorven religies, raakte Paolo er steeds meer van overtuigd dat het geloof ook zijn ongerijmdheden had. Hij had een bezoek gebracht aan de christelijke relikwieën die zich in de stad bevonden: de twaalf manden waaruit de vijfduizend werden gevoed, het hoofd van Johannes de Doper, splinters van het Ware Kruis en zelfs een flesje melk die was afgekolfd van de borst van de Maagd Maria. Dat bevreemde hem, want hij had op zijn omzwervingen al eerder een heel ander hoofd van Johannes de Doper gezien, alsmede de voet van de Heilige Stefanus en zes borsten die aan St. Agatha toebehoorden, hetgeen haar reïncarnatie wel heel problematisch zou maken.

Paolo vroeg zich af waarom de mensen tot deze heiligen baden. Als zij al in de hemel waren en een goed woordje deden voor degenen die nog op aarde vertoefden, hoe waren zij dan herrezen? Waren hun vingernagels, schouderbladen, kaakbeenderen en borsten nog op aarde achtergebleven? Wemelde het in de hemel van de onvolledige heiligen?

Hij dacht aan Simone en zijn poging de hemel te schilderen; hoe kon zo'n tafereel ooit worden afgebeeld? De kleur die hij moest zien op te sporen moest wel een tint van oneindige volheid en diepte zijn die slechts één egale, eeuwigdurende, gevoel van rust uitademende kleurnuance bevatte. Zoiets bestond vast en zeker niet.

Op de avond van de sabbat vergezelde Paolo Jacopo langs de stadsmuren naar een synagoge in Balat. Tijdens het wandelen merkte zijn beschermer op dat Paolo zich te zeer bekommerde om de letterlijke waarheden van het geloof en niet moest verwachten dat het goddelijke met de menselijke geest te vatten was.

'We moeten hopen en bidden. *Schenk de Heer de glorie die Hem verschuldigd is: breng een offer en kom in Zijn hof.*'

'Maar als we het bij het verkeerde eind hebben?' vroeg Paolo. 'Ik kan me totaal geen voorstelling van de hemel maken.'

'En als we het nu eens bij het rechte eind hebben?' antwoordde Jacopo. 'Stel je die vreugde eens voor, al die vrede en al die blijdschap die er ooit op de aarde is geweest: de zuiverste ogenblikken van verrukking ervaren door degenen die al hebben geleefd en degenen die zullen leven. Verzamel al deze onbeschrijflijke schoonheid, de totale som van alle waarheid en glorie die ooit gekend zal zijn, en beschouw die als slechts een zwakke afspiegeling van de goddelijke vervoering die ons wacht. Twijfel is hoogmoed. God vraagt om geloof, deugdzaamheid en de nederigheid van het geduld. Dat is toch niet zo onoverkomelijk in het licht van de hemelse beloning die in het verschiet ligt?'

Hij draaide zich om en liep de synagoge binnen. 'Vrees het geloof niet.'

Paolo ging op een laag stenen muurtje zitten. Was het maar wat gemakkelijker, dacht hij. Kon ik er nou maar zeker van zijn dat het waar was.

ꙮ

Terwijl hij buiten zat te wachten, onderscheidde Paolo met moeite nog net vaag een groepje mannen dat een groot gebouwencomplex aan de overzijde van het plein binnenging. Toen een van hen bleef staan om de riempjes van zijn sandalen vast te maken en Paolo hem vroeg waar hij heen ging, maakte de vreemdeling hem middels gebaren duidelijk dat dit een *hamam* was en dat hij zich, als hij een Turks bad wilde, onmiddellijk bij de andere mannen moest voegen. Het in het vooruitzicht gestelde bad leek zo aantrekkelijk en de hitte en het stof van de dag hadden zo'n zware tol geëist, dat Paolo die uitnodiging gewoon wel moest aannemen.

Op de binnenplaats trokken de mannen hun kleren uit en gebaarden Paolo hetzelfde te doen. Hoewel hij niet goed kon zien, was hij toch verbaasd over het gemak waarmee zijn medebaders hun lichamen ontblootten, hun testikels schikten en elkaar plagerig met handdoeken te lijf gingen. Paolo trok zijn beenkappen, zijn sandalen, zijn kiel en zijn broek uit en kreeg een grote doek om om zijn middel te binden alvorens hij door een bediende naar de badruimte werd gebracht.

Hier werd hij met een spons gewassen en met warm water overgoten, waarna hij naar een ruimte werd geleid die vol stond met de stoom van hete kolen. De bediende maakte hem duidelijk dat hij tien minuten in die ruimte moest blijven en er dan uit moest komen.

Paolo voelde de stoom langzaam rond hem oprijzen en de zweetdruppels begonnen van zijn lichaam te druppelen. Zijn oogleden begonnen pijn te doen en hij kon de andere mannen in het vertrek niet langer zien. Toen er naar zijn oordeel tien minuten voorbij waren, klemde hij de handdoek om zijn middel en liep naar de deur. Hij bevond zich tegenover een serie deuren en wist niet goed welke kant hij op moest. Hij liep onder de hoofdarcade door en betrad een kleine kamer waarin een lage tafel stond.

Ondanks de hitte en de stoom onderscheidde hij een kleine vrouw die hem met een hoge stem voorstelde op een witte handdoek voor haar te gaan liggen.

Paolo ging op zijn buik liggen en ze begon met haar handen in een emmer met water en zeep een soort schuim te slaan. Toen begon ze zijn rechtervoet te masseren en werkte zich geleidelijk omhoog naar zijn scheen en kuit tot aan zijn knie en vervolgens naar zijn dij. Paolo voelde de warmte en de sensualiteit van de diepe massage, maar toen ze bovenaan zijn dij was aangekomen, voelde hij tot zijn afschuw dat hij een stijve begon te krijgen. Hij kon er helemaal niets aan doen. Hij had een erectie.

De bediende ging verder met zijn linkerbeen, zeepte de onderkant in, de dij en zelfs de testikels. Ze had al aan al zijn tenen getrokken, elk gewricht opgerekt en nu begon Paolo voor zijn mannelijkheid te vrezen. De intense en onvermijdelijke opwinding in zijn kruis was overweldigend.

'Zal ik klaarmaken?' vroeg ze op bedaarde toon in het Latijn.

Paolo vond dat ze nog maar pas was begonnen.

'Nee,' zei Paolo en ze begon onmiddellijk aan zijn armen en zijn borst.

Was dat wat hij bedoelde? Hij vond het juist fijn als ze hem daar van onderen aanraakte.

'Ja,' zei Paolo plotseling. 'Ja, ja, ja.'

'Wil je dat ik nu klaarmaak?' vroeg de bediende nogmaals.

'Ja,' zei Paolo, die het nu eindelijk begreep, en de bediende richtte zich weer op zijn kruis en streelde, wreef en trok totdat Paolo zijn genot niet langer kon intomen en zijn eigen unieke bijdrage leverde aan het zepige sop rondom hem.

'Mooi zo,' zei de bediende die nu achter hem op haar hurken zat, zijn hoofd in haar handen nam en een vochtige papje van henna in zijn haar, zijn snor en zijn baard smeerde. Paolo sloot zijn ogen.

De bediende legde hem toen weer op zijn buik en begon opnieuw aan zijn benen te werken, aan al zijn tenen afzonderlijk te trekken, zijn kuiten met haar vuisten te bewerken en in zijn billen te knijpen.

'Rust,' instrueerde de vrouw met een piepstemmetje.

Paolo probeerde zijn armen te ontspannen maar moest onwillekeurig denken aan wat er gebeurd was. Hij wist niet of hij zich moest schamen of verheugen.

Toen begon de bediende zijn lichaam met puimsteen te bewerken, de dode huidcellen eraf te schrapen en het stof van de reis af te wassen. Paolo dacht niet dat hij ooit eerder in zijn leven zo schoon was geweest. Vervolgens liet ze hem, gehuld in een handdoek, rechtop zitten en nam hem mee naar een groot waterbassin.

'Erin,' beval ze en Paolo liet zich gehoorzaam in een bak water glijden dat zo koud was dat hij onwillekeurig terugdeinsde. Hij voelde zich voor haar ogen ineenkrimpen.

'Eruit,' commandeerde ze en ze hulde hem nogmaals in een handdoek.

'Ga nu liggen en rust.'

Terwijl hij lag, bedekte de vrouw hem met nog meer handdoeken, hetgeen hem het gevoel gaf dat hij in een lijkwade was gehuld. Misschien was hij al dood en was wat hij had ervaren niet meer dan een droom.

Na tien minuten keerde de bediende terug.

'Klaar,' zei ze, zijn kleren omhooghoudend, zodat Paolo ze meteen weer kon aantrekken.

Paolo opende zijn ogen en wreef erin. Loom stak hij zijn hand uit naar zijn kleding. Hij trok zijn kiel en broek aan en zag dat de bediende nog op hem stond te wachten.

'Tevreden?' vroeg ze.

'Ja,' antwoordde Paolo, maar toen viel hem op dat er iets niet helemaal in de haak was. Hij boog zich naar voren. Zijn kortharige, alerte bediende met de hoge stem en de fijne gelaatstrekken had geen borsten.

Paolo zuchtte diep, stond op en verliet de *hamam*. Zijn eerste seksuele ervaring had hij gehad met een eunuch.

PERZIË

Toen de tijd was aangebroken om Constantinopel te verlaten, namen Paolo en Jacopo een boot stroomopwaarts over de Bosporus en zeilden vervolgens langs de Zwarte-Zeekust naar Trabzon. Daarna reisden ze zuidoostwaarts naar Tabriz en volgden de zijderoute.

Ze trokken te paard door valleien vol appel-, abrikozen- en granaatappelgaarden en over de kale bergen van oostelijk Anatolië. Overdag zagen ze weinig andere mensen dan herders en hun kudden of kinderen die bloemen plukten en het sap uit hun stengels zogen; maar als de avond was gevallen overnachtten ze in de *Han* en *Rabat* van de karavanserai, op de pleinen vol met kabaal, hitte en bedrijvigheid. Aan de ene kant lagen de slaapzalen, baden en slaapkamers; aan de andere lagen de werkplaatsen, de winkels en de keukens. Een brede poort aan de achterzijde leidde naar de stallen waar de smeden nieuwe hoefijzers sloegen en dierenverzorgers zich om het vee bekommerden. In het midden van alle pleinen stond een weelderig gedecoreerde *mescat*, een paviljoenmoskee die leek te zweven op onderliggende stenen steunbogen. De roep van de muezzin vermengde zich met de muziek in de verte, en met het dansen, de vechtpartijen en het gelach wanneer de koks lamsvlees voor hun gasten roosterden en kooplieden zich verdrongen om zilver uit de mijnen van Argyropolis of turkoois uit Kerman te versjacheren.

Paolo leerde al snel zich aan te passen aan de verschillende eetgewoonten van elke nieuwe gemeenschap, en at gedroogd rundvlees met fenegriek, schapenhersensalade of honing gemaakt van de rond de Zwarte Zee groeiende azalea's, die naar men beweerde, mannen gek kon maken. De hitte maakte dat hij voortdurend dorst had en hoe verder hij reisde, hoe meer hij zich realiseerde met hoe weinig een mens toekon: voedsel, een dak boven je hoofd, slaap en water.

Ze onderbraken hun reis om twee dagen uit te rusten op de berg Ararat en terwijl Jacopo bad keek Paolo naar een groep vrouwen die tapijten weefden onder een magnoliaboom en elke draad, die bewerkt was met indigo, meekrap of kamille, door een web van strakgespannen draden op hun weefgetouwen leidden. In het midden van elk patroon stond de boom des levens. De vrouwen schiepen de hemel met hun handen en het paradijs onder hun voeten.

Terwijl hij zich op hun werk trachtte te concentreren, vroeg Paolo zich af of hij het doel van hun reis niet bijkans uit het oog had verloren. Hij voelde zich verloren tussen aankomst en vertrek, begin en einde, alsof er nooit een einde aan zijn omzwervingen zou komen. Een van de wevende vrouwen leek te denken dat hij zat te dromen. Toen ze opkeek en vroeg waar hij naartoe ging, kon hij zich dat niet goed herinneren.

'Ik ben op zoek naar de kleur van de hemel.'

Ze knikte, maar Paolo was er niet van overtuigd dat ze hem had begrepen.

'Die zul je snel genoeg vinden.' De vrouw sprak een paar woorden Latijn.

'Is het hier dichtbij?'

'Dichterbij dan je denkt. We maken allemaal dezelfde reis. Van God naar God.'

Paolo maakte aanstalten weg te lopen, maar de vrouw gebaarde hem naast haar te komen zitten. Ze klopte op de bank, maakte ruimte en hij nam naast haar plaats om te kijken hoe zij weefde. Terwijl hij dat deed, besefte hij dat hij, afgezien van zijn moeder, nog nooit zo dicht bij een vrouw was geweest en hij voelde een vreemde kalmte over zich komen. Om hem heen speelden kinderen en een van hen bracht hem een kroes met granaatappelsap.

'Mijn dochter,' verklaarde de vrouw. Toen wees ze op de jongens. 'Mijn zoons.'

Paolo was opeens bang dat de heer des huizes zou kunnen thuiskomen en hem bij zijn vrouw zou zien zitten. Hij wist dat hij beter op kon staan om terug te keren naar Jacopo, maar hij merkte dat hij dat niet wilde. Hij had het daar erg naar zijn zin.

De vrouw gebaarde dat hij moest drinken en Paolo bracht de donkerrode vloeistof naar zijn mond. Ze was onverwacht koel, stroperig, vol van smaak en zoet.

'Elke granaatappel zou eigenlijk pitje voor pitje moeten worden gegeten,' zei de vrouw, 'de ene robijn na de andere, want het was uit zo'n zaadje dat het paradijs ontkiemde.'

Paolo knikte. De vrouw ging door met haar werk en Paolo voelde zich zo mogelijk nog meer op zijn gemak bij haar, terwijl zij weefde en haar slanke vingers de draad met vaardigheid en snelheid hanteerden. Hij voelde haar dij naast de zijne en haar omslagdoek streek langs zijn schouder. Haar donkergroene ogen hadden een zachtheid die hem vertelden dat er geen vuiltje aan de lucht was. Dat hij rustig kon blijven zitten. Dat hij zich totaal nergens zorgen over hoefde te maken.

Paolo wist dat dit slechts een kortstondig moment was en dat het zeker voorbij zou gaan, maar hij voelde dat hem een zweem van voldoening was gegund. Als hij daar nu maar langer van had kunnen genieten.

Hij dronk zijn granaatappelsap op, bedankte de vrouw en zette de lege kroes op de bank. Hij maakte een korte buiging en de vrouw hield hem haar hand voor. Paolo naderde haar en omdat zijn hoofd toch nog gebogen was, beroerde hij de rug van haar hand met zijn lippen.

Zijn eerste kus.

Hij sloeg zijn ogen op om de vrouw aan te kijken en ze glimlachte, trok haar hand terug en maakte een licht wuivend gebaar naar hem. Paolo had zich er bijna toe verstout haar op de mond te zoenen, doch de kinderen renden zingend en dansend om haar heen en hij kon haar baby in de uit leem opgetrokken woning achter haar horen huilen. Het was tijd om te gaan.

Toen hij diezelfde namiddag het avondmaal bereidde en brochettes van kip, aubergine en groene paprika boven het vuur roosterde, en Jacopo hem vertelde hoezeer hij het gezelschap van zijn echtgenote Sofia miste, vroeg Paolo zich af of hij ooit de ware liefde zou vinden. Want omdat ze nooit meer dan een of twee nachten op dezelfde plek bleven, was het onmogelijk mensen beter en langduriger te leren kennen. Beide mannen hadden hun leven voor de duur van de reis opgeschort, alsof ze aan een parallel bestaan waren begonnen dat geen enkele relatie had tot de wereld waaruit ze afkomstig waren. Ze waren losgeslagen van hun eigen verleden.

Tegen de tijd dat ze Tabriz bereikten vertelde Jacopo Paolo dat ze van paarden op kamelen moesten overstappen en een gids in de arm moesten nemen die hen over de grote verlaten vlakten van de woestijn kon brengen. Ze konden niet langer alleen reizen.

'Men dient uiterst omzichtig te handelen,' waarschuwde zijn beschermer. 'Je kent een man pas echt als je met hem in de woestijn bent geweest.'

Ze wandelden in de middaghitte naar de grote moskee en de citadel in het hart van de stad. Paolo had nog nooit zo'n uitgestrekt gebouw gezien, met zijn hoog oprijzende minaretten, zijn met marmer geplaveide binnenplaats en zijn arcade met albasten zuilen. Het reinigingsbassin was zo groot dat er een sloep in zou kunnen varen. Buiten zat een groep mannen aan een paar tafeltjes in de schaduw pistachenoten te kraken en yoghurt te drinken. Sommigen sprongen onmiddellijk op toen ze de twee vreemdelingen zagen aankomen en popelden om zowel de kennis van de woestijn als hun taalkundige vaardigheden te demonstreren; anderen leek het niet te kunnen schelen of ze emplooi vonden of niet, alsof het hele denkbeeld beneden hun waardigheid was.

Jacopo liep op een van de oudste en kleinste mensen toe die

Paolo ooit had gezien. De man, die een Seldzjoek-Turk was, moest minstens zestig jaar zijn geweest, met een diep doorgroefd gelaat dat getaand was door de zon. Hij droeg een donkerbruin *kameez*-hemd, een wijde *shalwar*-broek en een volumineuze zwarte tulband. Elk kledingstuk dat hij aan had leek twee of drie maten te groot voor hem. Hij had een bijna nonchalante manier van doen, alsof haastige spoed nooit goed was, en hij zat enigszins terzijde van de anderen onder een amandelboom een pijp te roken.

Hoewel zijn baard keurig verzorgd was, waren zijn ogen geel en bloeddoorlopen, waardoor Paolo hem als gids in het geheel niet zag zitten.

'Salek?' zei Jacopo op vragende toon, in elementair Perzisch. 'Ik dacht dat je dood was.'

De man nam de pijp uit zijn mond en keek met samengeknepen ogen omhoog. 'Ik ben nog in leven, *insjallah*...'

'Herinner je je mij?'

'Natuurlijk. Ik vergeet nooit iets.'

'Ik moet wellicht nog één keer een beroep op je doen.'

De man wijdde zich weer aan zijn pijp en leek niet erg van zins op het verzoek in te gaan. 'Ik weet niet waar je heen wilt. Bovendien ben ik oud.'

'Maar ben je nog steeds gids?'

'Zo ik iets ben; ja, dan is dat het geval.'

Paolo vroeg zich af waarom Jacopo er zo op was gebrand een man in dienst te nemen die zo afkerig van reizen was.

'Laat ons samen eten en praten. Mijn reis zal je zowel avonturen als profijt brengen.'

'Ik heb geleerd lieden die avontuur beloven te wantrouwen, en voor profijt ben ik te oud.'

'Dan kost het ons misschien niet zoveel,' antwoordde Jacopo monter.

'Ik zie dat je het bent vergeten. Want hoe minder het mij interesseert, hoe meer het zal kosten.'

'Nee, hoor,' antwoordde Jacopo. 'Dat is één ding dat ik niet ben vergeten.'

'Ik ben altijd te duur. Dat is de reden waarom je mij vertrouwt.' Voor het eerst glimlachte Salek. Toen kreeg hij Paolo in de gaten.

'Wie is de jongen?'

'Mijn reisgenoot.'

'Waar heb je mij dan nog voor nodig?'

'Paolo maakt deze reis om een kleur te vinden, het blauw van Badachshan. Daarna keren we terug naar China, voor de jade.'

'Een lange reis.'

'Ik weet dat het duur zal zijn,' zei Jacopo.

'Maar waarom zou dat je zorgen baren?' vroeg Salek. 'Jij bent rijk.'

'Niet zo rijk als je denkt,' antwoordde Jacopo.

'Maar rijker dan je wilt toegeven,' zei Salek met een glimlach. 'Kom, laat ons eten.'

Ze liepen weg om de condities van hun samenwerkingsverband tijdens een maaltijd van brood, olijven, yoghurt en gevulde wijnbladeren te bespreken. Salek stond erop dat hij bepaalde welke route er werd genomen en eiste een speciale dagvergoeding, terwijl Jacopo hem een totaal bedrag voor de hele reis wilde aanbieden, plus de vrijheid ergens langer te blijven als de zaken daar floreerden. Terwijl ze marchandeerden wisten beide mannen dat ze het uiteindelijk wel eens zouden worden, en dat het twistgesprek weinig meer was dan een herinnering aan hun respectieve stellingnamen. Salek sprak Latijn, Perzisch en de Chinese taal, en het was duidelijk dat hun reis zonder hem onmogelijk zou zijn. Jacopo hoefde eigenlijk alleen maar een zo voordelig mogelijke prijs te bedingen en in te stemmen met het aantal mijlen dat ze per dag zouden afleggen.

Dan was er nog de kwestie van de dieren. De volgende ochtend nam Salek Paolo en Jacopo mee naar de markt waar een groepje hooghartige kamelen uitviel, brulde en schopte naar iedereen die bij hen in de buurt kwam.

De mannen bleven op een veilige afstand en liepen beurtelings om elk dier heen, alsof hij te weten wilde komen in hoeverre het tembaar was. Jacopo stond op een afstandje en vroeg bij elk dier of het kon worden overgehaald om te knielen. Hij gaf Paolo de opdracht er zo dicht mogelijk bij te gaan staan en de ruggen en schoften te inspecteren op mogelijke zere plekken, sneden of wonden die in de woestijn zouden kunnen verergeren of infecteren. Toen het dier weer was opgestaan inspecteerden ze de poten om zich ervan te vergewissen dat die niet krom of bovenmatig vet waren en ze niet mank liepen. Salek bestudeerde de binnenkant van de voorpoten op schuurplekken, keek in de ogen van elke kameel om te zien of die helder en alert waren, en hij klopte op alle bulten om te controleren of die stevig waren. Toen liet hij ze een stukje wandelen, draven, galopperen, stilstaan, zitten en weer opstaan, om zich ervan te verzekeren dat de reis niet door de zwakheid van een der dieren zou worden opgehouden.

Zodra zij gekocht waren (en Salek zijn commissie had ontvangen), werden de kamelen naar het plein geleid van waar de expeditie zou vertrekken. Hun knieën werden bij elkaar gebonden om te voorkomen dat ze ontsnapten. Bij het eerste ochtendgloren werden ze gevoed en gelaafd, waarna ze werden beladen met al hun bezittingen. Het was de eerste keer dat Paolo meemaakte dat de behoeften van een dier boven die van mensen werden gesteld.

'Van hen hangt ons voortbestaan af,' benadrukte Salek. 'Zonder hen zijn wij niets.'

Toen controleerde hij de uitrusting: kampeertentjes, slaapzakken en tentpalen; klimtouwen, pikhouwelen en bijlen; kruiken water, gerst, graan en olie; schalen, borden, lepels en pannen. Elke man had een plunjebaal gevuld met twee waterkruiken, een mes, een pak kleren tegen de hitte en de koude, kaarsen, vuurstenen, ondergoed en handschoenen. Paolo keek in zijn knapzak en controleerde of hij nog steeds het gekleurde glas had om te ruilen en de leren beurs die Simone hem had gegeven. Salek bezorgde hem kleren tegen de hitte en voor onderweg, een *kameez*-hemd met lange mouwen die tot aan zijn dijen reikte en een wijde *shalwar*-broek om zijn benen koel te houden.

Eindelijk waren ze klaar om te vertrekken, maar toen Paolo

probeerde op de rug van zijn kameel te klauteren, deed het dier onmiskenbaar onvriendelijk.

'Je moet aan de linkerkant opstijgen,' instrueerde Salek.

De kameel dook, boog zijn kop opzij en saboteerde Paolo's pogingen daar hij per se niet wenste te worden bereden. 'Grijp zijn bovenlip,' drong Salek aan, toen de kameel brulde en naar hem uitviel.

Paolo had nog nooit eerder zo'n bek gezien.

'Trek hem achteruit. Trek zijn kop opzij,' beval Salek.

De kameel wrong zich in alle bochten.

'Plant je linkervoet op zijn voorpoot. Hard.'

Paolo plaatste aarzelend zijn voet op de naar achteren gekromde linkervoorpoot.

'Zwaai nu je rechterbeen over de voorste zadelboog.' Salek maakte het met gebaren duidelijk.

Paolo aarzelde.

'Ik zal het je voordoen.' Salek besteeg zijn kameel in drie snelle bewegingen: hand op de bek. Been op de voorpoot, zwaai in het zadel. Toen kwam het commando voorwaarts.

'Zo, Paolo,' zei Salek. 'Doe hetzelfde als ik deed.'

Paolo sprong in het zadel van zijn kameel. Het dier richtte zich plotseling op zijn achterpoten op en smeet hem eerst naar voren en toen met een ruk naar achteren.

'Laat het beest bewegen!' zei Jacopo ernstig. 'Voel het ritme.'

'Er is geen ritme!' riep Paolo. 'Het bokt alleen maar.'

'Laat hem voelen wie je bent,' adviseerde Salek. 'Houd je gemak. Iedereen is de eerste keer zenuwachtig. Maar binnen drie dagen zul je in staat zijn je vingers in zijn neus te steken, hem recht in de ogen te kijken en hem tonen wie de baas is.'

'Doorlopen, doorlopen,' commandeerde Paolo zenuwachtig.

Het dier keek om, beet hem in zijn been en begon te lopen.

Het was duidelijk dat die neusgaten nog even moesten wachten.

Toen ze Tabriz verlieten vertelde Salek Paolo dat ze in zuidoostelijke richting door Perzië zouden reizen in de richting van Rhages en vervolgens hun weg door het noorden van de woestijn naar Masshad te zoeken. Hij reed voor de karavaan uit. Achter hem volgden zes kamelen beladen met handelswaar. Jacopo vormde de achterhoede. De orde werd behouden door een dun wollen koord dat langs de rij naar achteren liep en door de neus van elke kameel was geregen en aan elke zadelknop was bevestigd en was vastgebonden aan een grote bel die om de nek van het laatste dier hing. Dat veroorzaakte tijdens het reizen een laag monotoon geluid, waaruit Salek kon opmaken dat alles in orde was. Het gaf ritme aan hun voortgang terwijl ze tegen de hellingen op liepen en over de vlakten sjokten. Elke verandering in het geklingel van de bel maakte een inspectie noodzakelijk, en Salek stond erop dat ze zo dicht mogelijk bij elkaar bleven.

Ze aten een papje van gemalen gerst en warm water met dadels, als ze die konden vinden, en dronken zoete thee. Salek leerde Paolo langzaam te eten, waardoor zowel het voedsel als de drank tussen twee happen zoveel mogelijk effect kon sorteren en het lichaam de tijd had zich te herstellen. Hij mocht zich hongerig noch verzadigd voelen. Van een kruik water diende te worden genipt. Brood diende met kleine hapjes te worden verorberd. Hun proviandvoorraad was even belangrijk als hun sieraden.

Salek hield alleen halt om de dieren te controleren, een pijpje te roken en te bidden. Jacopo zei driemaal daags zijn gebeden en hield zich strak aan het *Ma'ariv* in de avond, het *Shacharit* in de ochtend en het *Minsja* in de middag; terwijl Salek tot vijf series gebeden verplicht was om Allah elke avond te danken voor zijn lijfsbehoud en om hem gedurende de dag om zijn zegen te vragen.

'De ziel dient te worden behoed,' zei hij tegen Paolo, 'als een huis tegen de regen.'

Daar Salek vaker bad dan Jacopo, merkte Paolo dat de jood zich revancheerde door opzettelijk langer te bidden.

'Mijn hulp komt van de Heer die hemel en aarde heeft geschapen.

Leg de Heer uw zorgen voor en Hij zal u behoeden.

Prijs de onschuldige en aanschouw de rechtvaardige; want aan die laatste zal de vrede zijn. Vertrouw in de Heer, doe wel; bewoon het land en verzadig u met gelovigheid.'

Maar Salek liet zich de loef niet afsteken.

'O, Allah, ik vraag u vergiffenis en welbehagen in dit leven en in het volgende.

O, Allah, vergeef me mijn dwalingen en verlos mij van mijn angsten.

O, Allah, behoed mij voor wat mij wacht en wat achter mij ligt, voor wat komt van rechts en van links, voor wat komt van boven en van onder mij. Ik verlaat mij op U.'

Naarmate zij hun weg vervolgden leek de reis oneindig; alsof Paolo, Salek en Jacopo in een eeuwigdurende droom verzeild waren geraakt. Er waren geen bakens om zich op te oriënteren en elke einder was de voorbode van een volgende. Soms leek het alsof er geen andere kleuren bestonden dan die tussen bleek goud en gebrande siënna. De kamelen schreden voorwaarts en stapten stilletjes door in gradaties van oker, reebruin, beige en karamel, gebleekt door de zon, verdiept door de nacht.

In de valleien voelden ze puntige stenen onder hun voetzolen, vermengd met rottende kamelenbeenderen en dierenschedels, ontbloot door steeds nieuwe winden die over de zandvlakten gierden en ze uiteindelijk weer onderstoven. De enige bomen die ze tegenkwamen hadden kale basten, en leunden in zuidelijke richting, gestaag omgebogen door de kracht van de wind. Paolo vond dat ze net een rij oude mannen leken die op hun dood stonden te wachten.

Voordat ze hun tenten opsloegen, controleerde Salek uit welke hoek elk zuchtje wind waaide en ordende de spullen, draagkorven en uitrusting, waarbij hij zich altijd als eerste om de dieren bekommerde. De kamelen zochten het zachtste stukje grond op, lieten zich door hun voorpoten zakken en vouwden hun achterpoten, waarna ze hun hals uitstrekten en hun koppen lieten zakken. Ten slotte sloten ze dan hun ogen, alsof dit niet alleen het einde van de dag was maar ook de stilte van hun geheimen. Hun ondoorgrondelijkheid zou nooit worden begrepen, want zij waren de enige wezens die de honderdste naam van Allah kenden.

Elke avond zetten Paolo en Salek de dieren vast en bonden hun knieën met touwen bijeen om te voorkomen dat ze zouden ontsnappen. Jacopo legde vuurtjes aan van twijgen en kamelenmest, maakte het eten klaar dat ze hadden en wierp stenen omhoog in de bomen om te maken dat de dadels loslieten. Na de maaltijd spoelden ze hun pannen om in het ijskoude zand, schraapten de resten eraf en begroeven het afval en legden zich dan te ruste, zo dicht mogelijk bij de vuren die ze hadden aangelegd als ze konden en probeerden de slaap te vatten, met uitgeputte ledematen en pijn in hun knieën en heupen.

Zeven dagen na hun vertrek uit Rhages ontsnapten de kamelen.

Paolo werd vroeg wakker en voelde onmiddellijk dat er iets niet in de haak was. Hij liep om de tent heen in de hoop dat hij droomde en vroeg zich wanhopig af hoe hij de klok kon terugzetten en de dieren opnieuw en nog steviger dan voorheen kon vastbinden.

Maar ze waren verdwenen, en het zand had al hun sporen uitgewist.

Paolo raakte in paniek. Hij stond verloren midden in de woestijn, met heel weinig water en zonder kamelen. Hoe lang zouden zij het uithouden? Twee dagen, drie? Zouden andere reizigers hen vinden? Salek vertelde hem dat de uitgestrektheid van de woestijn het gemakkelijk maakte om in God en de grootsheid van zijn schepping te geloven; maar nu voelde hij louter de verschrikking en de leegte. Er was totaal niets te bespeuren: geen boom, geen gehucht, geen mensen, geen water, geen dieren en geen voedsel.

Hij moest eropuit trekken en de kamelen zien te vinden voordat de anderen wakker werden, maar in welke richting moest hij zoeken? De warme nevel van de vroege ochtend maakte enkel dat zijn gezichtsvermogen nog meer werd vertroebeld. Terwijl hij, onzeker welke richting hij moest kiezen, stond te prakkiseren kwamen zijn metgezellen uit de tent tevoorschijn.

'Waar zijn de dieren?' riep Salek uit. 'Wat heb je gedaan?'

'Ze zijn weg.'

'Waarheen? Heb je ze gezien?'

'Ik werd te laat wakker.'

Jacopo wist dat hij geen ruzie kon maken met de gids van wie hun leven afhing en dus richtte hij zijn woede tegen Paolo. 'Kun je niet zeggen waar ze heen zijn gegaan?' Hij kneep zijn ogen samen tegen het licht. 'Maar dat was ik even vergeten, jij kunt helemaal niets zien. Kamelen en jonge jongens zijn nooit te vertrouwen.'

'Het is niet mijn schuld,' zei Paolo. 'Ik heb ze goed vastgebonden, precies zoals me is geleerd. Ik heb elke knoop goed bekeken.'

Jacopo begon tussen de kameeltassen en de proviandvoorraden die op de grond lagen te scharrelen. 'Jij ziet nooit wat een normaal mens ziet.'

'Dat is niet waar.'

'De waarheid is dat we verloren en mogelijk ten dode opgeschreven zijn.'

'We zijn niet verloren. Ik vind ze wel weer,' zei Salek op bedaarde toon. 'Blijf jij maar hier. Ik ga wel zoeken. Laat de jongen maar aan mij over.'

Paolo zocht wat lappen bijeen om als beschutting te dienen en pakte twee volle waterzakken. Salek wachtte en wenkte toen hem te volgen. 'We moeten ze vinden voordat de zon hoog aan de hemel staat; dan is er geen ontkomen aan de hitte.'

'Ik zal hier wachten en bidden,' zei Jacopo. 'Misschien moet ik me vast op het ergste voorbereiden.'

'Ze zijn pas een paar uur weg,' zei Salek. 'Er is geen reden tot wanhoop.'

Ze keken uit over de oneindig uitgestrekte zandvlakte.

'Hoe kunnen we weten waar we moeten beginnen?' vroeg Paolo.

'Misschien hebben de dieren water geroken,' antwoordde Salek, 'en dus kunnen we het beste zuidwaarts trekken, over die heuvels.'

Paolo kon niet geloven dat zijn gids daar zeker van was.

'Dit is onze vuurproef,' zei Salek. 'De woestijn dwingt ons een beroep te doen op onze moed en ons geloof. We moeten spaarzaam zijn met onze energie en ons water en waar mogelijk beschutting zoeken tegen de zon. Kijk onder het lopen uit naar sporen of kamelenmest.'

De hitte verplaatste zich als een golf over het zand. Was dit maar een zee, dacht Paolo, was deze zon maar zijn exacte tegenovergestelde, zodat de uitzichtloze droogte van de woestijn werd weggespoeld door de verkoelende klaarheid van water.

Ze probeerden, bang om te vertragen, het tempo constant te houden en werden door niets anders begeleid dan door hun eigen zuchten in de hitte en voetstappen in het zand. Ze misten de langzame ritmische stappen van de kameel en het geruststellende gerinkel van de klokjes.

Het was een reis door hitte en leegte. Telkens als Paolo naar de horizon blikte en, genesteld tussen zand en hemel in de verte donkere vlekjes bespeurde en Salek er met een schreeuw op wees, luidde het antwoord hetzelfde: 'Rotsen, gewone rotsen.'

Paolo probeerde niet te wanhopen, maar naarmate de dag vorderde begon hij te zwalken en in slaap te vallen in de hitte, daar het licht te fel was voor zijn ogen.

'Scherm ze af,' zei Salek. 'Gebruik meer lappen. De woestijn is zowel de zon als de dood. We kunnen geen van beide recht in de ogen kijken.'

Paolo besefte dat dit de reden was dat Saleks kleren altijd te groot leken. Hij gebruikte het surplus aan materiaal om zichzelf mee te beschermen. 'Hoe weet je ooit waar we ons bevinden?'

'Het is mijn thuis.'

'Dit allemaal?'

'Alles.'

Het was net alsof zij de laatste mensen op aarde waren.

'Waarom blijft u er zo kalm onder?' vroeg Paolo.

'Omdat ik weet dat we geen kwaad te duchten hebben. Allah beschermt ons. Zelfs als wij sterven wordt het slechtste nog het beste. Dan zullen wij het paradijs leren kennen.'

Het noemen van de dood maakte Paolo er, voor de eerste keer in zijn leven, van bewust dat hij wel eens vroeger zou kunnen sterven dan hij zich ooit had voorgesteld, hier in deze hitte, zonder zijn taak te hebben voltooid. Zijn benen waren loodzwaar, zijn rug deed pijn, en zijn mond was droog. Hij kwam tot het besef dat hij alleen in leven kon blijven door aan iets anders te denken, door zijn gedachten af te leiden. Hij moest Salek overhalen te spreken, want zijn stilzwijgen was ondraaglijk. Ze moesten zeker met elkaar praten, elkaar verhalen vertellen om hun leven te redden, ook al zou dat pijn doen aan hun kelen.

'Wilt u me van uw thuis vertellen?' vroeg Paolo. 'Droomt u erover? Waar rust u uit aan het einde van uw omzwervingen?' wilde hij vragen, maar hij begreep dat hij zuinig moest zijn met zijn energie, dat hij zo min mogelijk woorden moest gebruiken.

'Dat doe ik niet.'

'Hebt u geen huis?' vroeg Paolo. 'Geen gezin, geen vrouw, geen liefde?'

Salek bleef doorlopen. 'Ik leid het leven van een reiziger. En ik had geen keuze.'

'Hoe kwam dat?'

'Laten we daar maar het zwijgen over doen.' Hij sprak alsof het gesprek ten einde was, maar toen, na nog een paar passen in de hitte te hebben afgelegd, vertelde hij plotseling, te moe om de waarheid te verhullen, hoe de vork in de steel zat. 'Ik woonde vroeger in een dorpje in het zuiden, vlak bij de turkooizen heuvels van Kerman. Ik heb een man gedood. Ik moest vluchten.'

'Waarom?'

'Hij had mijn vader gedood. Ik heb hem gedood. Toen ben ik vertrokken.'

Zo had ik het me niet voorgesteld, dacht Paolo. Ik ben alleen in de hitte van de woestijn met een moordenaar. 'Gaat u er ooit nog eens terug?' vroeg hij.

'Ooit, op een dag, wellicht, als alle anderen dood zijn.'

Paolo wilde informeren naar zijn gezin, zijn liefde en zijn kinderen, maar toen hij op het punt stond zijn mond te openen, belette Salek hem dat. 'Alsjeblieft, geen vragen meer. Stilte is beter.'

Het was middag. De zon bleekte het zand zo sterk dat Paolo zich verbeeldde dat het sneeuw was. Hij probeerde zich te concentreren op koude platte vlakten, besneeuwde bergtoppen en stromende beekjes: alles om de pijn van een dergelijke hitte te vermijden. 'Waarom doen we dit?' vroeg hij. 'Waarom kunnen we niet toegeven dat de woestijn ons de baas is?'

'Zo leer je nederigheid,' antwoordde Salek. 'Laat ons wandelen en geduld oefenen. Als we de kamelen niet terugvinden, zullen we sterven. Maar wie zal zeggen wat zich achter het volgende duin bevindt?'

'Ik heb genoeg zand gezien voor de rest van mijn leven.'

'Zoiets moet je niet zeggen. Het zal je altijd bijblijven. Een man die zulke vergezichten heeft aanschouwd zal die nimmer vergeten. Wat voor leven zou je leiden als je hier niets van zou hebben gezien?'

'Een aangenaam leven.'

'En een leven dat niet waard is geleefd te worden,' antwoordde Salek, naar de top van het duin starend. Hij glimlachte en wachtte tot Paolo hem had ingehaald.

'Daar.'

In de verte onderscheidde Paolo nog net met moeite de silhouetten van de dieren onder een eenzame palmboom.

'Ze hebben water gevonden.'

Toen Salek naderbij kwam, draaide een van de kamelen zijn kop om om hem met een uitdrukking van luchthartige verbazing aan te kijken, alsof het dier zich afvroeg waarom het zo lang had geduurd voor zij zich bij hen voegden om van de bron te genieten.

Terwijl hij naar de dieren keek, wist Paolo niet goed welke van zijn emoties sterker was: opwinding omdat ze ze hadden gevonden, of woede omdat ze zo geringschattend deden.

❧

Daar de kamelen nu begonnen te verharen en hun ruggen geirriteerd raakten in de hitte, stond Salek erop dat ze hun dagindeling omgooiden, dat ze 's nachts zouden reizen en elke ochtend zouden rusten. Paolo vond het nagenoeg onmogelijk om in de felle hitte van de dag de slaap te vatten. Hij bedekte alle delen van zijn lichaam tegen de zon en beschermde zich tegen haar stralen met donkere katoenen zwachtels, maar evengoed deed het licht pijn aan zijn ogen. Hij voelde de temperatuur onverbiddelijk stijgen en dan, net op het moment dat hij dacht het niet langer te kunnen verdragen, begon de avond te vallen en werd het zo snel koud dat hij plotseling vernikkelde.

Zij zaten tussen uitersten gevangen en soms was Paolo niet in staat het verschil aan te geven tussen het vuur van de dag en het ijs van de nacht. Veel van het water dat ze vonden was brak, de opiumbalsem, bedoeld om muskieten te verjagen, bleek niet te werken en hun voorraden proviand begonnen op te raken. Nu was er alleen nog genoeg water om hun lippen mee te bevochtigen. Elke druppel moest worden gespaard, elke bron moest worden onderzocht en ze droomden van de dadels die zij in vruchtbaardere klimaten hadden gedeeld. De enige tekens van leven waren de botten van de kamelen die hen waren voorgegaan.

Inmiddels was Salek begonnen Paolo de eerste beginselen van het Arabisch bij te brengen. Allereerst de namen van de etenswaren en de voorraden: brood, water, tarwe, fruit en wijn. Vervolgens zijn handelswaar: glas, juwelen, kralen en spiegels;

zijde, katoen, wol en hennep. Hij leerde in verschillende talen optellen, aftrekken en onderhandelen: meer, minder en hoeveel? Per duizend? Per vijfduizend? Hij probeerde de sterren te tellen en te benoemen, ook al kon hij ze nauwelijks uit elkaar houden, en hem werd het belang duidelijk gemaakt van religieuze bezweringen bij het bewandelen van het pad der rechtschapenheid. *Loof de Heer. God zij dank. Als God het wil.*

Paolo vroeg zich af hoeveel talen men nodig zou hebben om een reis om de wereld te maken. Zijn gids antwoordde dat men er duizend nodig zou kunnen hebben, of geen enkele – noch in zaken noch in de liefde. Dat maakte niet uit.

Toen Paolo vroeg wat hij bedoelde, zei Salek hem te wachten tot ze Masshad hadden bereikt. Daar zou hij wonderen aanschouwen, de hemel op aarde.

En zo trokken ze verder oostwaarts, verlieten de woestijn en reisden door een serie rijstvelden en over beboste heuvels, waar ze wilde zwijnen en zijdeaapjes zagen. Jagers boden aan hun voedsel met hen te delen en ze aten salades van verse peterselie, dragon, bieslook, wilde knoflook en munt. Yoghurt met bietjes of spinazie was in overvloed verkrijgbaar in de stadjes en dorpen langs de route en 's avonds deden ze zich tegoed aan geweldige stoofschotels van *fesenjan*, gevogelte met gemalen walnoten en granaatappelsiroop. Op een van hun wegen passeerden ze een serie uit baksteen opgetrokken en met pleisterwerk bedekte duiventorens. Salek legde uit dat zich duizenden duiven in die torens nestelden, niet om te broeden of te eten, maar om de guano te produceren waarmee men de meloenenakkers in de omgeving bemestte. Paolo bezwoer dat hij geen meloen ooit meer met dezelfde ogen zou bekijken.

Uiteindelijk zagen zij de vergulde koepel en de minaretten opdoemen van Masshad, de heiligste stad in Perzië, met de grote moskee en het mausoleum van Reza in het centrum, omringd door jasmijn, irissen, lelies en rozen. Op het stadsplein wemelde het van de pelgrims en kooplieden die rozenkransen, kleitabletten, parfum en reepjes groene stof verkochten om de roosters rond de heiligdommen mee aan te raken. Anderen stonden achter hoge stapels saffraan of edelstenen, kruiden of sieraden, en Jacopo inspecteerde de stalen turkoois die op tafels voor hem werden uitgestald.

De drie mannen logeerden in een *Rabat* buiten de stad, naast een rozentuin. Een laan van populieren voerde naar een turkooizen poort met Koefische inscripties uit de koran, die toegang bood tot een kleine binnenplaats met in het midden een beek. Het riviertje splitste zich in vier kanalen die de stromen van het paradijs werden: De Pison en de Gihon, de Hiddékel en de Eufraat.

Het was volmaakt van vorm, alles in overeenstemming met de verhoudingen van het menselijk lichaam: een armlengte, een handspanne, de lengte van mannen en vrouwen. Elk pad was bestraat met mozaïektegels in geometrische bloemmotieven in steen die pasten bij de lotusbloemen en de pioenen die groeiden onder de perzik- en granaatappelbomen. Een koppel pauwen schreed parmantig over de tegels en de lucht was verzadigd van lavendel en rozengeur.

'De bloemen inspireren het gesteente; het water weerspiegelt de hemel,' zei Salek. 'Net zoals de tuin in zichzelf elk voorwerp reflecteert, zo dient de ziel een weerklank bij God trachten te vinden.'

Het was een tabernakel van tegengestelden. Hier was water, terwijl alles eromheen droog was; schaduw, terwijl alles eromheen aan de zon was blootgesteld; fruit, terwijl alles eromheen dor was; parfum, terwijl alles eromheen stonk; leven, terwijl alles eromheen dood was.

Voorbij de geometrisch aangelegde tuinen bevond zich een weiland vol wilde bloemen, waar jonge paartjes opdoken en naar elkaar toe wandelden, geschenken uitwisselden en dan weer uiteengingen. Ze bevonden zich op een zodanig discrete afstand dat Paolo Salek vroeg wat ze aan het doen waren.

'Het is een plek zonder woorden.'

Ze keken toe hoe een jong meisje tussen de grassen doorliep en bloemen plukte. Haar lange donkere haar werd met een rood lint bijeengehouden en ze bewoog zich traag, dromerig en met zulk een natuurlijke gratie dat Paolo het verlangen voelde opkomen haar aan te spreken.

'Wacht,' zei Salek, 'haar man komt zo. Dan zul je het met eigen ogen zien.'

Er kwam een tenger gebouwde jongen aan in een witte tuniek met een klein boeket in zijn hand. Toen hij zich neervlijde hield het meisje hem een lotusbloesem voor.

'Weet je wat dat betekent?' vroeg Salek. 'Begrijp je het?'

Paolo kon nauwelijks zien wat er gebeurde. 'Nee,' antwoordde hij.

Salek vervolgde zijn verhaal. 'Zij praat tegen hem. Ze vraagt: "Ben ik niet mooi?" Nu zal hij een paradijsbloem plukken alsof hij zeggen wil...'

'Jij bent lieftalliger dan de bloemen van het paradijs...'

'Mooi. Je begrijpt het.'

Toen reikte het meisje haar minnaar blozend een roos aan: 'Kijk je graag naar mij?'

'Let nu goed op,' zei Salek. 'Hij zal haar een bloem geven die het antwoord inhoudt. "Zoals een tijgerlelie graag naar zijn eigen schaduw kijkt."'

Het meisje trok een voor een de bloemblaadjes van een rozenknop: 'Zou je je leven voor mij willen geven?'

De jongen plukte een viooltje uit het gras: 'Zonder twijfel. Ik steek mijn hoofd voor je in de strop.'

Toen lachten ze allebei en kusten elkaar.

'Zie je,' legde Salek uit, 'liefde heeft haar eigen taal.'

Doch Paolo kon geen meisjes met bloemen benaderen of rustig blijven zitten in de hoop dat een van hen hem zou kussen. Hij wilde in hun eigen taal het woord tot hen richten, hun een briefje zenden of een gedicht schrijven. Hij wist dat hij zich de kunst van het flirten zou moeten eigen maken, hoe absurd die ook zijn mocht. 'Ik bemin het spelen van de schaduwen op je wangen. Je ogen breken het licht van de zon. Ze zijn veranderlijk als de zee.' Het klonk belachelijk, maar hij had mannen zulke woorden horen uitspreken en die leken er altijd succes mee te boeken. Waarom was dat? Was liefde niet meer dan een spel?

Onder het lopen probeerde hij in gedachten te oefenen: 'Jij hebt de volmaakte mond,' zei hij hardop. 'Je gang is zo sierlijk als de vlucht van een zwaluw.'

'Wat zeg je me nou?' vroeg Salek.

'Niks,' antwoordde Paolo.

'Daar moet je mee oppassen,' zei Jacopo streng. 'Je kunt zulke dingen niet hardop zeggen. Je weet maar nooit wie erop reageert.'

Maar Paolo kreeg de indruk dat het totaal niet uitmaakte, daar er maar twee mensen waren die ooit naar hem luisterden: een bejaarde Seldzjoek-Turk en een joodse koopman die zijn vrouw miste.

Paolo vond vrouwen gereserveerd en exotisch, als zeldzame orchideeën, en hij vroeg zich af of hij ze ooit zou leren kennen; of ooit de dag zou aanbreken waarop zijn geliefde zich tot hem zou wenden en zou zeggen: 'Nooit eerder heeft iemand me zulke dingen gezegd. Alleen jij lijkt mijn ziel te doorgronden. Kom toch bij me. Bemin me.'

Toen hij die nacht naar zijn handen keek, vroeg hij zich af hoe lang het nog zou duren voor hij zou worden bemind of dat hij op een dag zou ontwaken en moeten constateren dat hij te oud was, dat hij die vorm van samenzijn in zijn geheel had misgelopen. Hij probeerde na te gaan of elk deel van zijn leven in het zelfde tempo verouderde of in slechte staat verkeerde. Was het mogelijk dat iemand oude handen maar evengoed een jong gelaat had? Wanneer hield het lichaam op met tot wasdom komen en begon het af te takelen? Was dat één enkel keerpunt of bereikte elk lichaamsdeel op een andere leeftijd zijn hoogtepunt totdat tenslotte elke spier, elk bot, elke follikel, zenuw en bloedcel zich samenvoegde, verenigd in verval en zich steeds sneller bewoog in de richting van een laatste amen?

Hij dacht aan de oudste mensen die hij ooit had gezien en de jonge gestorvenen die hij had gekend. Hoe lang zou hij hier op aarde zijn, eenzaam, met zijn onvermijdelijke achteruitgang en hoeveel langer zou hij nog leven? Hoeveel zomers? Tien? Twintig? Dertig? Of nog slechts één? Hoeveel winters? Zou hij echt elke dag moeten leven alsof het zijn laatste was? En als dit die dag was, hoe zou hij hem dan moeten besteden?

Terwijl hij zijn lichaam bestudeerde, vroeg hij zich af of ooit iemand het zo uitvoerig zou inspecteren. Zou er ooit een tedere geliefde komen die zijn rug net zo goed zou kennen als hij zijn eigen duim? Hoeveel van Paolo's lichaam zou door iemand worden gekend en bemind voor het in verval raakte?

ꕥ

Drie weken later bereikten ze de stad Herat. Zij leek te gloeien vanwege de vlammen van de vuurtjes buiten de lage uit leem opgetrokken onderkomens en torens van geplette klei. Ze naderden door een laantje van donkere pijnbomen waar de kreten van pistachenotenverkopers zich vermengden met de verre klanken van getrommel op een *dhol*. Er moest ergens een bruiloftsfeest worden gevierd. 'Khorasan is de oester van de wereld,' zei Salek, 'en Herat is haar parel.'

Voor de grote moskee zaten geleerden en wijsgeren de fundamentele vragen des levens te bespreken en elkaar te verzekeren dat maar drie soorten mannen wijsheid bezaten: de man die afstand doet van de wereld voordat zij afstand doet van hem; de man die zijn graf graaft voordat hij het betreedt; en de man die de Heer heeft behaagd voordat hij Hem heeft ontmoet.

Salek liep naar de mannen toe en vroeg waar zij logies voor de nacht konden vinden. Hun werd toen de weg gewezen naar een kleine *Rabat*, waar verscheidene kooplieden en reizigers al waren samengekomen, een lam roosterden en de eerste wijn van dat jaar dronken.

Toen Paolo informeerde naar de weg naar Badachshan die ze nog voor de boeg hadden, weigerden heel wat van hen te antwoorden, ervan overtuigd dat er een soort vloek op die plaats rustte en dat het noodlot hen zou treffen als zij een reiziger vertelden waar ze zich bevond. Maar aan het einde van de avond vroeg de herbergier Paolo toch hem naar de overkant van het plein te volgen.

'De plaatst die jij zoekt is een oord van mateloze rijkdom en van mateloos leed,' fluisterde hij, 'en slechts weinig reizigers die er heen gaan komen terug. Het brengt ongeluk om over zo'n plaats te spreken, maar er is een man die er meer van weet. Hij heet Joesoef. Wees geduldig en hij zal je ervan vertellen.'

De man was bezig een pot met *choresht* te bereiden, een stoofpot van lamsvlees met dille, koriander, gedroogde limoenen en witte bonen. Hoewel zijn haar grijs en zijn gezicht gerimpeld was, kon Paolo zien dat de man in zijn jeugd een knappe verschijning moest zijn geweest, want zijn houding was trots en vol zelfvertrouwen. Hij droeg een *muraqqa*, een uit negenennegentig aan elkaar genaaide lappen vervaardigde jas die, zo beweerde hij, alle waandenkbeelden van de wereld symboliseerden, en hij staarde in de verte terwijl de stoom uit de kookpot rondom hem opsteeg.

Toen merkte Paolo zijn ogen en de starheid van zijn blik op.

'Bent u blind?'

'De smaragd verliest zijn glans, kwarts verbleekt en zilver wordt mat,' antwoordde Joesoef. 'Het is geen ramp. Ik leef.'

'Was dit een bestraffing?'

'Misschien. Waarom ben je hierheen gekomen?'

'Ik ben op zoek naar een blauwe steen.'

'Ben je op zoek naar saffier?'

'Nee. Niet naar saffier,' benadrukte Paolo. 'De steen uit de bergen van Badachshan.'

'Aha.' Joesoef zweeg even. 'Lapis. Waarom zoek je die?'

'Om de kleur te leren kennen. Om de hemel te schilderen.'

Joesoef boog zich over de pot. 'Eet een hapje met me mee. Daar aan de zijkant staan kommetjes.'

Opeens voelde Paolo zich slecht op zijn gemak en was hij bang voor de blindheid van de man en voor de lege blik in zijn ogen.

'Ik heb ooit eens een vrouw uit dat gebergte gekend,' zei Joesoef terwijl hij de kommen volschepte. 'Aanvankelijk dacht ik dat zij ook blind was, want men vertelde me dat ze voortdurend haar ogen afschermde tegen het licht. Maar in werkelijkheid was haar gezichtsvermogen te goed. De schoonheid deed haar duizelen. Alles was te schitterend, te fel. Haar wereld was gevuld met een verscheidenheid aan kleurschakeringen en nuances die zo oneindig groot was dat ze het ene voorwerp niet van het andere kon onderscheiden. Er waren geen contouren, er was geen onderscheid; alles had eenzelfde schittering. Dat ze zo goed kon zien maakte haar gek.' Zijn stem stierf weg. 'Maar wat doet dat er nu nog toe?'

'Maar is het waar, dat verhaal? Bestaat er echt een berg met dat gesteente?' vroeg Paolo.

'Sar-i-Sang wordt hij genoemd. Maar hij is heel moeilijk te bereiken en bijna onmogelijk om van weg te komen.'

'Hoe kunnen we zo'n plek vinden?'

'Het is een groot koninkrijk, een afstand van twaalf dagen reizen tussen de grenzen. De nederzettingen zijn gebouwd op locaties die natuurlijke vestingen vormen en een groot deel van de bergpaden is onbegaanbaar; niet alleen voor muilezels maar ook voor mensen.'

'En waar is die berg?'

'Je moet de stroom van de Hari Rud volgen door Jam en Chakcheran en Bamiyan. Vervolgens door de Shibarpas en dan noordwaarts naar Pul-i-Khumri en Taloqan. Vanuit Taloqan moet je dan doorreizen naar Faizabad.'

Joesoef wachtte even en het was net alsof hij zich niet de route maar zijn eigen jeugd voor de geest probeerde te halen.

'En daar is het dan?' vroeg Paolo.

'Nee. Daar is het niet. Er stroomt een rivier langs Faizabad die je moet zien over te steken. Zij is ijskoud en snelstromend met woeste stroomversnellingen. Dan moet je doorrijden tot aan Barak. Voorbij Barak moet je je rijdieren achterlaten, maar als je gaat voor de eerste sneeuw is gevallen, kun je ze misschien meenemen. Kies goede muilezels die aan de bergen gewend zijn en betaal wat de mannen er ook maar voor vragen.

Als de paden niet zijn weggevaagd mag je al in je handen knijpen.'
'En dan?'
'Nee,' zei Joesoef. 'Dan ben je er nog altijd niet. Je moet drie dagen en twee nachten lang door het hooggebergte trekken. Pas op in het donker, want het waait er hevig en de hellingen zijn steil. Wie valt is verloren. Maar als je het tot daar hebt overleefd, zullen de vrouwen tevoorschijn komen om je te verwelkomen.'
'De vrouwen?'
'Mannen zul je er niet tegenkomen.'
'Waarom niet?'
'Vraag ze dat zelf maar. Mijn geliefde zou het je hebben verteld. Ik kan het niet.'
Paolo zag dat de blinde ogen van de man zich met droefenis hadden gevuld. 'Wat is er gebeurd?'
'Ik hield van haar. Ze is gestorven.'
'Dat spijt me.'
'Soms denk ik dat ze alleen van me hield omdat ik totaal niets kon zien. Evenals de anderen, kon ze te goed zien.'
'En nu bent u alleen?'
'Ik leef louter in het verleden.'
'En zo houdt u zich staande?' vroeg Paolo.
Joesoef stond op, alsof er een eind was gekomen aan het gesprek. 'Als we al leven, dienen we voor de liefde te leven.'
'Zulk een verlangen heb ik nooit eerder meegemaakt.'
'Liefde is niet hetzelfde als verlangen,' antwoordde Joesoef, 'maar ik kan je niet meer vertellen zolang je niets weet van waarover ik het heb. Heb je ooit iets van liefde gevoeld?'
'Ik kan niet goed zien. Op een dag krijgt misschien een vrouw medelijden met me, maar er zijn momenten dat liefde meer is dan waarop ik hopen mag.'
'En zul je ooit beter kunnen zien?'
Paolo dacht een ogenblik na. 'Zoiets lijkt me nauwelijks voorstelbaar. Maar ik zou wel graag willen weten hoe het is om in de verte te kunnen zien en te ontdekken waar ik sta in de we-

reld, het leven in al zijn volheid te kunnen leven, om te kunnen zien zoals anderen zien, om te leven met een grotere kennis van wat dichtbij en wat veraf is, om te begrijpen wat belangrijk is en wat niet.'

'Ik weet niet zeker of je daar wel ogen voor nodig hebt,' antwoordde Joesoef.

SAR-I-SANG

Ze waren op minder dan een maand reizen afstand van Badachshan, maar het was al vroeg in de herfst. Salek waarschuwde dat de bergpassen spoedig bevroren en door sneeuw versperd zouden zijn. 'Het is hier niet in de haak,' mompelde hij. 'Er staat een wind die honderdtwintig dagen aanhoudt. Volledig bepakte muilezels worden als bladeren weggeblazen. Is steen het waard om voor te sterven?'

Jacopo was onvermurwbaar. 'Nu we al zo ver zijn gekomen, moeten we moed tonen.'

Na nog eens twee weken volgden ze de loop van de rivier de Kokcha, omzoomd door wilgen, kersenbomen, meidoorns en populieren. Soms konden ze de sporen onderscheiden van degenen die hen waren voorgegaan en volgden ze de katoenplukken die aan de moerbeibosjes waren blijven hangen. Zuidwaarts lag een bergketen, die in lagen oprees en begroeid was met donkere bossen. De klim werd steiler en kwam uiteindelijk uit op een groen plateau, waar de dieren konden grazen. Een lichtblauwe nevel hing laag tussen de toppen en onttrok de vallei en het pad voor hen aan het gezicht. De kleuren vielen uiteen en veranderden, alsof de bergen een prisma van kwarts waren geworden waardoor het licht werd gesplitst en herenigd en het landschap zich voortdurend herschiep als een eindeloze kameleon.

Salek mokte. Hij vertelde hun dat hij had gehoord over een man uit deze contreien die geld had verdiend met de bewering dat hij zielen kon vangen, dat hij die kon ontvreemden van mensen die nog in leven waren. Vervolgens eiste hij een losgeld voor hij bereid was ze terug te geven of hij verkocht ze aan misdadigers en zondaars en dan joeg hij zijn slachtoffers de stuipen op het lijf met de bewering dat ze na de dood nooit zouden kunnen voortleven zonder zijn hulp.

Je kon maar het beste niemand vertrouwen en je zo snel mogelijk over de passen voortspoeden en flinke vorderingen maken zolang dat mogelijk was en beschutting zoeken aan de voet van de heuvels als dat onmogelijk bleek. Salek was bedreven in het voorspellen van het weer en drong er bij zijn metgezellen op aan dat ze stilhielden en hun tenten opsloegen, zelfs als ze klaagden dat er nog geen wolkje aan de hemel was. Hij kende de winden, de snelheid waarmee het weer kon omslaan en de gevaren die dat met zich meebracht.

Paolo vroeg zich af of ze Badachshan ooit zouden bereiken en hoe ze erachter moesten komen welke van die bergen het gesteente zou kunnen bevatten. Hij had zadelpijn, zijn kuiten en onderrug deden zeer en hij vreesde dat zijn metgezellen zich elk moment tegen hem konden keren en hem de schuld zouden geven voor dit deel van de reis.

Het landschap ademde een desolate en onheilspellende sfeer, alsof het lang geleden, na vergeefse pogingen het in cultuur te brengen, was verlaten. Stammen kolonisten waren verder getrokken, onmachtig ook maar iets op de kale rotsen te verbouwen.

Maar op dat moment, juist toen de mannen begonnen te vrezen dat ze verdwaald waren, merkte Salek vier zwarte figuurtjes op, vage gestalten te paard, die met hun speren geheven door de vallei op hen toe kwamen rijden.

'Vrouwen,' merkte hij op. 'Allemaal.'

'Gaan ze ons aanvallen?' vroeg Jacopo.

'Wacht.'

De vrouwen waren gekleed in geplooide *chadri*, lange okerkleurige gewaden die wapperden in de wind, en hun benen waren omzwachteld met stroken grijze stof. Ze blokkeerden de weg voor hen, trokken aan de leidsels van hun paarden en vroegen de mannen waar zij van plan waren heen te reizen.

'Oostwaarts,' antwoordde Salek. 'Door de heuvels.'

'Volg ons.'

Ze keerden zich om en verwachtten onvoorwaardelijke gehoorzaamheid. De mannen laveerden hun muilezels door een smalle pas en naderden een nederzetting van acht tenten aan de voet van de berg. Ze stonden voor een grot die was bekroond met geweien en een soort afgodsbeelden die in de kloof tussen de rotsen waren geklemd. Het was duidelijk een gewijde poort, de toegang tot een aantal verderop gelegen woningen.

Zes vrouwen stonden met ondiepe schalen water achter een rij vlammen.

'Jullie moeten tussen de vuren door lopen.'

De mannen werd getoond hoe ze zich door een poort van vlammen moesten zuiveren en water om zich heen moesten sprenkelen als plengoffer en eerbetoon aan de zon en de winden. Vervolgens werden ze naar de hoofdtent gebracht.

'Deze opening is zuidwaarts gericht,' zei een kleine vrouw, terwijl ze de klep voor de ingang terugvouwde. 'Ga zitten met jullie gezichten naar het westen.'

Paolo durfde nauwelijks te geloven dat dit echt Sar-i-Sang zou kunnen zijn, de mijn in de berg, het hart van Badachshan. Maar waarom zouden de vrouwen anders zo op hun hoede zijn en de grot zo streng bewaken?

In het duister onderscheidde hij een haard onder een rookkanaal waar op een drievoet een pot stond te koken. De vloer was bedekt met stro en dierenvellen.

'Wat wilt u van ons?' Het was een vrouwenstem.

Salek vroeg of de vrouwen zich hielden aan de erecode van de bergen en reizigers, ongeacht hun afstamming, gastvrijheid verleenden.

'Als jullie in vrede komen, zijn jullie welkom.'

De overige vrouwen begonnen de woning binnen te druppelen en gingen op de met matten bedekte vloer zitten. Ze leken het niet helemaal te vertrouwen, alsof ze op instructies wachtten.

'Wat is er hier aan de hand?' vroeg Jacopo op fluistertoon. 'Waar zijn de mannen?'

'Afwachten,' drong Salek aan.

Een jong meisje schonk muntthee in kleine aardewerken kopjes. Terwijl ze de drank aan de mannen serveerde deden zij er verlegen het zwijgen toe. Paolo keek naar de groep gedeeltelijk gesluierde vrouwen.

'Wat moeten we nu?' vroeg hij fluisterend aan Salek.

'Afwachten,' zei hij nogmaals.

Salek stak zijn pijp op. 'Wie zijn jullie?' vroeg hij.

Uit de duisternis kwam een vrouw in het licht. 'Ik ben Aisja. Dit is mijn volk.' Ze was langer en donkerder dan de andere vrouwen en ze was gekleed in een okerkleurige chador. Paolo keek toe hoe ze, langzaam en gracieus, op hen toeliep, als iemand die gewend was gezag uit te oefenen en te worden gehoorzaamd.

Jacopo kon zich niet langer inhouden. 'Waar zijn jullie mannen? Zijn ze op jacht?'

'Er zijn geen mannen.'

'Geen mannen?' vroeg Salek, en op dat moment wist Paolo dat ze de plaats hadden bereikt die Joesoef had beschreven.

'Louter jongens. De kinderen die het hebben overleefd. Dit is het dal der weduwen.'

'Heeft er een oorlog gewoed?'

'Twee winters geleden,' antwoordde de vrouw. 'Dit wordt onze derde. Onze enige hoop is dat onze kinderen opgroeien en de mannen vervangen die we hebben verloren.'

'Waarom hebben ze jullie niet meegenomen om hun vrouwen te worden?' vroeg Salek.

'Ze hebben ons gesteente meegenomen. Dat was kostbaarder.'

Paolo boog zich naar voren en probeerde Aisja wat nader te bekijken. Onder haar hoofddoek zag hij hoe haar zwarte haar over haar schouders golfde.

'Degenen die het overleefden hebben gezworen in de lente terug te komen,' vervolgde ze. 'Ze hebben ons voedsel gestolen.

Ze hebben onze mannen gedood. En wij zijn alles wat er is overgebleven.'

'Ik heb over dat gesteente gehoord,' zei Paolo met gedempte stem.

'Het is een vloek,' reageerde Aisja. 'Ongeacht hoe ver we ermee weggaan of waar we het ook verstoppen, we kunnen niet ontsnappen aan het bloedvergieten dat het veroorzaakt.'

'Wat is er gebeurd?' vroeg Paolo.

'Zij beschikten over buskruit. Wij niet. Dujan, mijn man, kwam in hun vuurlinie terecht. We keken toe vanaf de berg. We zagen hoe de mannen, hun zwaarden hoog geheven, glinsterend in het licht van de vallei, op elkaar afstormden.'

Ze wachtte even alsof dat al het einde van het verhaal was.

'Toen ze werden geveld voelde ik hoe mijn eigen leven te gronde werd gericht. Het ging allemaal zo snel en toch is het zo traag als ik het me weer voor de geest haal. Ik denk er elke dag aan terug en elke dag lijkt het langer te duren. Soms vult de herinnering een hele dag en kan ik aan niets anders denken. Misschien is dat wat ze verdriet noemen.'

'Vertel verder, alsjeblieft,' zei Salek.

'Toen onze vijanden waren vertrokken liepen we over het slagveld. Wat een verschrikkelijke wonden. Felrood bloed tegen gebeente. Dode paarden. De mannen waren zo zwaar. Bij het water hebben we ze gewassen. Toen ze schoon waren hebben we grote vuren aangelegd, hoger dan we ooit hadden gezien. De kinderen verzamelden hout, planten en wortels, alles dat ze dachten dat zou branden en onderwijl huilden ze, maar stilletjes, omdat ze bang waren voor de toorn van hun moeders. Sommige vrouwen sloopten zelfs hun woningen omdat ze geen reden meer zagen om door te leven. Ze rukten ze, stuk voor stuk, uit elkaar en gooiden hele wanden en daken op het vuur. Shirin, mijn zuster, heeft de brandstapel aangestoken.

Het duurt zo lang voor een lichaam is opgebrand. Dat wist ik voorheen niet. Ik wilde dat ik het nog niet wist.

Toen rouwden we. We zongen de liederen die onze vaders ons hadden geleerd, de hele nacht door, tot de zon weer opkwam. Het vuur brandde tot ver in de volgende dag. Pas nadat de zon opnieuw was ondergegaan doofden de vlammen en waren onze mannen er niet meer. We wachtten totdat hun as was afgekoeld. De as van onze mannen en het vuur dat hun lichamen had verteerd zouden terugkeren naar de aarde.

Ik pakte een handjevol en voelde nog de warmte in de as, alsof het de warmte van mijn man tegen mij aan was. In de waanzin van smart dacht ik dat de warmte zijn leven was en dat ik hem weer kon terugbrengen en ik schreeuwde uit tot de goden: "Geef hem mij terug! Gij die hem ooit heeft geschapen, schep hem nogmaals. Laat me niet achter zonder zulk een liefde. Gij, die levens kan opwekken en lotsbestemmingen kan bepalen, gij, die weet wat wonderen zijn, doe dit voor mij. Laat hem opstaan uit zijn as."

Maar de goden zwegen.

En dus brachten we de as naar de beek, handje voor handje, en we lieten de levens van onze geliefden tussen onze vingers doorglippen. Ik weet niet hoe lang het heeft geduurd. Misschien was de nacht alweer gevallen. De beek werd een rivier. Zij raasde net als wij. We dachten dat we haar konden bedwingen, hem met as konden indammen, maar de kracht van het water was groot, als van bloed.'

Ze keek Paolo aan. 'Vroeger had het een zoete smaak. Maar als we nu uit de stroom drinken, weten we dat we het water van onze voorvaderen drinken. We denken terug aan die dag. We drinken het water opdat we hen nooit vergeten.'

'Gezegend zij uw mannen,' zei Jacopo, 'en mogen zij rusten in vrede.'

'Dus daarom is het gesteente ons een last. En als jullie het willen zien dan moeten jullie eerst laten blijken dat jullie het waard zijn,' antwoordde Aisja.

'We hebben geld,' zei Jacopo. 'We kunnen onderhandelen.'

'En als we jullie geld nu eens niet willen? Als we nu eens niet willen onderhandelen?'

'Iedereen wil onderhandelen.'

'Ik bepaal zelf wat wij willen en wat wij niet willen.'

Paolo besefte dat een blik op het gesteente, hoewel ze op de goede plek waren aangeland, hun nog best eens zou kunnen worden onthouden.

'Nu moeten jullie gaan slapen,' zei Aisja, plotseling in verwarring gebracht, 'en morgenochtend moeten jullie me vertellen waarom jullie ons gesteente willen zien. En ons vertellen waarom jullie vinden dat jullie dat waardig zijn.'

'Waarde heeft er niets mee te maken,' zei Jacopo.

'Lieg niet tegen me.'

'Ik zal het je nu meteen vertellen,' zei Paolo, maar Aisja viel hem in de rede.

'Morgenochtend. Rust nu eerst,' en toen de mannen opstonden om naar een tent te worden geleid waarin ze de nacht konden doorbrengen, voegde ze eraan toe: 'Er wordt beweerd dat sommige mannen nooit meer kunnen liefhebben nadat ze het blauw van de steen hebben gezien. Na een blik op de berg heeft het leven elders alle betekenis verloren.'

Paolo liet zich er niet door afschrikken. 'We zouden dat gesteente graag zien.'

Ze werden naar een kleine tent gebracht met eenvoudige matten op de grond. De vrouwen gaven hun dekens van schapenvacht en gebaarden dat zij moesten gaan liggen. Zodra ze waren vertrokken zei Salek tegen Jacopo en Paolo dat zij op jacht naar het gesteente wellicht bereid waren hun leven in de waagschaal te stellen, doch dat hij dat niet was. 'Het is te gevaarlijk,' hield hij vol, 'en bovendien vertrouw ik hen niet.'

'Ik ben geen enkel moment ingegaan op het voorstel van die vrouw,' zei Jacopo. 'Waarom moeten wij ons eerst waardig tonen? Waarom kan ze niet onderhandelen zoals ieder ander?'

'Omdat het een schat betreft,' zei Paolo. 'Misschien kan hij uitsluitend worden geschonken, nooit versjacherd.'

'Die mannen hebben zich er anders snel genoeg over ontfermd,' zei Salek.

'Maar waarom zijn ze niet teruggekeerd?' zei Paolo. 'Misschien is hun iets verschrikkelijks overkomen.'

'Onzin,' zei Jacopo. 'Dat is omdat niemand het gesteente van hen wilde kopen. Misschien wilden alleen schilders zulk gesteente en is verder iedereen tevreden met turkoois. We hadden hier nooit moeten komen.'

'We kunnen hier niet blijven,' zei Salek.

'Laat mij tenminste met hen praten,' zei Paolo. 'Nu we toch eenmaal zo ver zijn gekomen.'

'Denk je dat jij haar kunt overtuigen?' vroeg Jacopo.

Salek stak een pijpje op. 'Misschien is de jongen onze beste kans. Misschien wekt hij haar medelijden wel op.'

'Ik ben degene die het meest om het gesteente verlegen is. Laat mij degene zijn die met haar spreekt,' drong Paolo aan.

'Zorg eerst maar eens dat ze het ons toont,' zei Jacopo. 'Dan kunnen we zien of het allemaal de moeite waard is geweest. Het zou wel eens kunnen zijn dat het geen enkele waarde heeft en dat ze ons wat voorliegt.'

'Dat geloof ik niet,' antwoordde Paolo. 'Ik heb Joesoef erover horen praten.'

Jacopo was verbaasd over zoveel vrijpostigheid. 'Dan weet je ook hoe hard je je best moet doen om haar over te halen iets van dat gesteente prijs te geven.'

ꕥ

Toen de mannen de volgende ochtend uit hun tent tevoorschijn kwamen, zagen zij dat de vrouwen al op en aan het werk waren. Ze prepareerden huiden en naaiden die met pezen aan elkaar. Ze kregen brood en geitenmelk en werden toen naar de grote tent gebracht om opnieuw met Aisja te praten.

Salek en Jacopo keken Paolo aan. Hij wachtte even en wist niet goed of hij Aisja de ware aard van zijn reis moest vertellen. 'Ik heb een vriend,' begon hij.

Onmiddellijk viel Aisja hem in de rede. 'Een man of een vrouw?'

'Een man.'
'Is er geen vrouw in het spel?'
'Nee.'
Dat scheen haar plezier te doen. 'Vertel me van die man.'
'Hij is kunstschilder in de stad Siena. Ik had gehoopt hem het gesteente te bezorgen.'
'Waar heeft hij het voor nodig?'
'Om verf van te maken.'
Aisja was verbijsterd. 'Is hij van plan het te vernietigen?'
'Nee. Hij zou het verfijnen en wijd uitsmeren, zoals kleur op een muur.'
'En wat gaat je vriend schilderen met die kleur?'
'De eeuwigheid,' antwoordde Paolo. 'Een wereld zonder smart.'
'Maar heeft hij die dan gezien. Hoe kan hij weten hoe die eruitziet?'
'Hij schildert om de angst voor de dood weg te nemen; om de troost van een zaliger oord dan het ondermaanse te bieden.'
'Zullen wij voortleven?'
'Dat is het geloof van mijn volk, dat er een toekomst is voor onze grootste liefdes.'
'Ik deel die hoop. Maar waarom dat gesteente?'
'Ik heb gehoord dat het een kleur draagt als geen andere, en dat we daarmee een wereld kunnen schilderen als geen andere.'
'Een nobel streven,' zei Aisja, niet geheel overtuigd.
'Laten wij als volgt afspreken. Zelfs als je het ons niet wilt geven of verkopen, vraag ik u ons tenminste het gesteente te laten zien en zo u wilt zullen wij daarna ons weegs gaan. Dan kan ik mijn vriend zeggen dat ik alles gedaan heb wat in mijn vermogen lag om mijn taak te volbrengen. Maak dat onze reis niet geheel vergeefs is.'
'En waarom zou ik jou vertrouwen?'
'Omdat ik in vrede kom en deze reis niet voor mezelf maak.'
Aisja glimlachte bedroefd. 'Je bent welbespraakt.'
'Ik spreek louter de waarheid.'

Aisja zei niets. Paolo wist niet of ze plotseling van gedachten was veranderd of haar belangstelling voor hem had verloren.

Toen sprak ze. 'Je bent gekomen voor je vriend en dus zal ik aan die vriendschap gehoor geven. Bereid je voor. Het is een barre tocht.'

ꕤ

Een uur later stond ze voor de ingang van hun tent, met naast haar een jongetje dat zich aan haar rokken vastklampte.

'Dit is Jamal,' verklaarde ze.

De jongen was een jaar of acht en hij maakte zowel een stuurse als een wantrouwige indruk. Salek deed een stap naar voren om met hem te praten, maar Aisja was hem voor. 'Hij spreekt niet. Als je de berg wilt zien, dan moet Paolo hem volgen. Hij zal je erheen brengen.'

'Is de entree niet hier, bij de ingang van de grot?'

'Nee. Dat is onze tempel. Het gesteente is verborgen. Ik heb jullie gewaarschuwd dat het gevaarlijk is, maar Jamal is een goede klimmer. Hij kent de kortste weg.'

Paolo keek omhoog. Hij zag de steile wand boven hen en dan het rotspad onder een overhangende rand. Rechts bevond zich een met sneeuw en ijs gevuld ravijn; links was de berg overdekt met lawinesporen.

Jamal was al aan de klim begonnen. Paolo plantte zijn rechtervoet in de laagste spleet, vond houvast voor zijn hand en begon zich omhoog te hijsen. Hij had nog nooit zo'n steile wand beklommen. Geen enkele stap was zeker, geen enkel houvast veilig. Het enige dat hij kon doen was zich, met zijn gezicht dicht bij het gesteente, tegen de rotswand aan drukken.

De hoogte was zodanig dat hij nauwelijks adem kon halen. Paolo stelde zich voor hoe het zou zijn als hij omlaag zou vallen en zijn hoofd zou opensplijten. Hij kon alleen het vege lijf redden door zich te concentreren op de structuur en de details van de berg, zijn compactheid en zijn kracht: de dunne spleten, de vreemde glans, de onverwachte kloven. Toen hij het van dichtbij bestudeerde, zag Paolo dat het patroon van het gesteente de afdrukken van zijn vingers verfoeilijk vergroot weerspiegelde.

Hij boog zijn hoofd achterover om enige afstand te nemen van het gezicht en had het gevoel dat hij elk ogenblik achterover, weg van de berg, kon tuimelen om vervolgens in de winterse leegte ten onder te gaan. Wat zou het betekenen als er nu een einde zou komen aan zijn leven?

Ten slotte bereikte hij toch een hoge uitspringende rand waar Jamal hem gebaarde te wachten tot zijn moeder zich bij hen had gevoegd. Paolo vroeg zich af of zij gebruik had gemaakt van een andere en veel minder lastige route, want toen zij en de vrouwen die haar hadden vergezeld arriveerden waren zij in het geheel niet buiten adem. Was de gevaarlijk route soms enkel gekozen om zijn bekwaamheid en vastberadenheid op de proef te stellen?

'Jamal heeft je veilig tot hier gebracht,' zei Aisja. 'Volg me.'

Ze ging hem voor naar een kleine donkere ingang in de rotswand.

'Ik zie geen hand voor ogen,' zei Paolo.

'Onze voorouders hebben een tunnel gegraven. We zullen fakkels nodig hebben om er doorheen te reizen.'

Een vrouw overhandigde Aisja een brandende tak die zij op haar beurt aan Paolo doorgaf; anderen volgden met een voorraad brandhout die ze tegen de wand bonden.

'Het gesteente ligt verborgen onder de oppervlakte. Het is het blauw waaruit de goden ons boetseren. Het is niet van deze wereld. We moeten de rots verwarmen.'

De vrouwen tastten naar spleten en legden hout tegen het gesteente. Vervolgens bonden ze bossen hout samen alsof ze een serie enorme hangmatten maakten. Er werd herhaaldelijk een vuursteen afgestreken en het hout begon vlam te vatten.

Het vlammetje flakkerde, eerst goudkleurig en toen blauw, op.

De hitte nam toe, begon de grot te verwarmen en vervolgens,

net toen de vlammen begonnen te doven, wierpen de vrouwen sneeuw tegen de rotswand aan.

De berg siste hen toe toen het vuur en het ijs om de macht over het oppervlak vochten, maar de vrouwen gingen door alsof het hun vijand was.

Ze spoorden Paolo aan de strijd voort te zetten en maakten hem met gebaren duidelijk dat hij op de rotsen moest inhakken en wezen op de kwetsbaarste stukken van het oppervlak. Een van hen overhandigde hem een pikhouweel.

'Sla erop,' beval Aisja. 'Onder hitte en sneeuw barst hij open.'

Paolo haalde uit, maar het pikhouweel ketste af op het gesteente en de klap trilde door in zijn hand.

'Harder.'

Paolo dacht dat de berg nog even ondoordringbaar was als toen hij hem had beklommen, maar was nu vastbesloten zijn geheim te onthullen. Hij begon er wild op in te hakken terwijl Aisja met haar vingers aan de stenen peuterde, haar nagels brak en elke spleet betastte.

Toen pakte ze een steen op en timmerde ermee op de wanden van de grot, elke kloof en spleet volgend: steen tegen steen.

De lapis viel op de grond.

Aisja bukte zich, raapte een stuk steen op en gaf het aan hem. Het was puntig en koud, maar het binnenste straalde een vreemde warmte uit. 'Neem het mee naar buiten.'

Aan een kant bestond het stuk uit grillig rotsgesteente, maar aan de andere kant, de kant die net was afgebroken, zag Paolo een intens stralend blauw, gepokt met goud en doorschoten met zilver.

Hij had gedacht dat hij gesteenten kende en dat hij niet meer vreemd op zou kunnen kijken van de wijze waarop goudadertjes zich aftekenden of hoe zilver van binnenuit glinsterde. Anderen zouden misschien het blauw van het wit willen scheiden of het goud en zilver eraan onttrekken en dat verkopen. Misschien zou men zelfs het blauwe lapis lazuli dat hij in zijn hand hield weggooien.

Maar nu begreep hij waarom hij was gekomen. Ooit had hij

de rijkheid van saffier gekend, die zo doorzichtig was dat hij bijna wit leek. Hij had de bleke tint van aquamarijn gezien, het spel van parelmoer in kostbaar opaal opgemerkt en de diepblauwe glans midden in een stuk vuursteen bewonderd. Ooit had hij een blauw gezien dat zo donker was dat het bijkans zwart scheen, dat zich afsplitste in toermalijn, dat was uitgezaaid in het donker van chroomijzersteen, dat was verweerd in het kopergroen van caledoniet. Hij had het zien glinsteren als zilver in hematiet en pyriet, in galeniet en in kwarts. Hij had het broze blauw van antimonium en het zachte blauw van stefaniet bestudeerd. Hij had een subtiel blauw ontdekt in de giftige kristallen van cyaniet en in het wit van arsenicum. Hij had het aanschouwd in conische kristallen en in geoden: korrelachtige blauwtinten, bladderige blauwtinten, massieve, uitgekristalliseerde, spaatachtige en fibreuze blauwtinten. Hij had blauw gevonden in rotszout, in kwarts en zelfs in topaas. Hij had parels gezien die blauw waren en hij had ooit een smaragd met een indringend adertje van azuur gezien. Hij kende de hitte van blauwe vlammen en het koude metallic blauw dat wordt gevonden in de kieuwen van vissen of diep in het ijs. Maar een kleur als deze had hij nog nooit eerder gezien.

In zijn hand hield hij de steen die gloeide alsof hij straalde van zijn eigen licht, alsof hij uit de hemel was gehouwen. Al het blauw dat er ooit in de wereld had bestaan leek samengebald in dat ene stuk steen.

Hij hoorde Aisja's stem. 'Mensen die hier komen zeggen ons dat ze nog nooit zoiets moois hadden gezien,' zei ze.

'Ze hebben gelijk,' zei Paolo.

Ze stond dicht bij hem. 'En wij zeggen hun op onze beurt dat we nog nooit zoveel dood hebben gezien.'

'Hoezo?'

'De veren van de pauw zijn zijn vijanden. Er zijn lieden die beweren dat we dit gesteente moeten meenemen naar het einde van de wereld. En dan, als we verder hebben gereisd dan iemand ooit eerder is geweest, moeten we het in de duisternis werpen die alle leven opslokt. Pas dan zullen we vrij zijn.'

Ze draaide de steen om in Paolo's handen. 'Kijk eens in zijn aderen. Wat zie je?'

'Azuur. Kobalt. Violet. Het varieert afhankelijk van de lichtval. Misschien is het de kleur van de nachtelijke hemel.'

'En kun je tussen de kleuren door kijken?'

'Waar?'

Ze pakte zijn hand en liet haar vinger over de steen glijden. 'Zie je niet dat daar nog een andere kleur ligt, hier, langs deze ader?'

Paolo boog zich naar haar toe. De steen volgde de kromming van haar hand.

'Sommige mannen kunnen het niet zien.'

Paolo voelde haar adem in de koude lucht. 'Welke kleur bedoel je?'

Ze wees op een draad azuur. 'Misschien ben jij net als mijn zoon.'

De jongen sloeg hen gade.

'Kan hij niet in de verte zien?' vroeg Paolo.

'Nee. Hij is kleurenblind: hij kan geen rood van groen onderscheiden, hij ziet het verschil niet tussen de moerbeibessen en hun bladeren. Alles is licht of donker; hij kan niet beschrijven wat hij ziet. Misschien is het een straf omdat ik zo scherp kan zien.'

'Maar kan hij niet praten?'

'Hij kan wel praten. Maar hij verkiest te zwijgen.'

'Hoe lang is zijn toestand al zo?'

'Sinds de dag dat ze kwamen.'

Jamal begon haar opzij te trekken. Het was beginnen te regenen. Aisja duwde hem met zachte drang terug in de beschutting van de grot.

Paolo keek vanaf de berg uit over het landschap, naar de rivier onder zich en naar de heuvels daar voorbij. Dit is het dus, dacht hij, waarvoor ik deze reis heb gemaakt.

Hij probeerde zich het gesteente voor te stellen als verf, die kleurlaag uitgesmeerd op een muur, de oneindige ruimte.

Toen voelde hij opnieuw Aisja naast zich.

‘Kijk naar het licht, daarginds, in de verte door de regen: de boog die zich in de lucht uitspreidt. Welke kleuren onderscheid je?’

‘Onderaan een donkerblauw, dan een vreemd groen, oranje, lichtgoud.’

‘Zie je het violet naast het blauw aan de onderzijde? Of de kleur tussen het oranje en het goud?’

‘Het is allemaal één.’

‘Je moet leren tussen de kleuren te kijken. Zie je de lavendelblauwe strook?’

‘Waar?’ vroeg Paolo.

Aisja wees. ‘Kijk, daar. En daar, er voorbij, zie je hoe de hoofdboog zich in steeds zachtere tinten herhaalt, de boog van paars, het krachtigste groen?’

‘Ik zie alleen de hoofdboog, vaag in de verte,’ zei Paolo op verontschuldigende toon. ‘Alleen van heel dichtbij zie ik de dingen scherp.’

‘Dan zijn wij elkanders tegengestelde,’ antwoordde Aisja. ‘Ik geef de voorkeur aan de verten. Kleuren van nabij wegen mij te zwaar.’

Ze tuurden naar de regenboog. Paolo vond dat hij eruitzag als een omgekeerde wolkenschaal. ‘Zul je je echtgenoot ooit terugzien?’ vroeg hij. ‘In een volgend leven?’

‘Ik heb geleerd me niet op zulke dingen te verlaten.’ Ze keek op en zag Paolo naar de achterkant van haar nek staren. Naar de golving van haar haar. ‘Hoe oud ben je?’ vroeg ze.

Paolo bloosde. ‘Ik ben zeventien. Ik weet het niet.’

‘Dan moet je mij van je leven vertellen. Volgens mij is het nu jouw beurt.’

Die avond, nadat Paolo zijn reisgezellen kond had gedaan van wat hij die dag had beleefd, maakte Salek een bijkans vrolijke indruk. ‘Je hebt goed gesproken en hard gewerkt, Paolo. Nu is er nog maar één ding dat je te doen staat.’

‘Zit hem niet te plagen,’ viel Jacopo hem in de rede. ‘Hij is nog maar een jongen.’

‘Nee, nee, nee,’ hield Salek vol. ‘Het is tijd. Hij is er oud genoeg voor.’

‘Waarvoor?’ vroeg Paolo.

‘Dat weet je donders goed,’ zei Salek. ‘Dat is waar je op hebt gewacht.’

‘Doe niet zo dwaas.’

‘Dat doe ik niet. Ik ken de vrouwtjes. Ik heb gezien hoe ze zich in jouw bijzijn gedraagt.’

‘Ze heeft medelijden met me.’

‘Nee, dat heeft ze niet. Jij hebt de wereld afgereisd om te vinden wat je vriend het allerhardst nodig heeft. Wat zou je voor haar kunnen betekenen?’

‘Laat hem met rust,’ zei Jacopo.

Paolo dacht dat zijn opwinding uitsluitend aan de steen te wijten was geweest; nu vroeg hij zich af of al zijn nervositeit gedurende de reis wellicht niets anders was geweest dan anticipatie op de liefde.

Die nacht droomde hij dat hij in de berg opgesloten zat. Hij werd omringd door blauw, door schaduwen en door duisternis. Hij kon de grond onder hem of de weg voor hem niet onderscheiden en liep met uitgestrekte armen, als een blinde, terwijl hij probeerde een tunnel te vinden die hem terug zou voeren naar het licht. In de verte hoorde hij stemmen, gelach van vrouwen en een geweldige aanzwellende geluidsbeweging toen de sneeuw van de rotsen boven hem afgleed. Tegelijkertijd begon de ongelijke bodem van de grot het onder zijn voeten te begeven. Elke beweging, onverschillig in welke richting, betekende duisternis en gevaar en toch wist hij dat hij niet stil kon blijven staan, dat hij een uitweg zou moeten zien te vinden.

Blauwe vlammen verlichtten delen van zijn pad en leidden hem naar het licht tussen de schaduwen. Terwijl hij zich in zuidelijke richting bewoog begon Paolo silhouetten, verschillende vormen te onderscheiden, allemaal van dezelfde kleur, zo naadloos in elkaar overgaand dat het bijna onmogelijk was de aard van de voorwerpen te onderscheiden. Op een gegeven ogenblik meende hij dat hij Simone zag, die bij het licht van een vuur de wanden van de grot beschilderde en zich beklaagde dat hij niet voldoende pigment had. Dat zijn voorraadje op zou zijn voordat hij de hemel af had.

Vanuit een andere bedrieglijke opening, strekte Salek zijn arm, voorzien van een felle blauwe plek, naar hem uit. Hij probeerde hem de weg uit de grot te wijzen, maar net toen Paolo poogde zijn arm vast te pakken, verdween de figuur en was hij opnieuw alleen en zijn pad door een rotsblok geblokkeerd.

In de verte leken vrouwen hem te gebaren naderbij te komen, maar Paolo was ervan overtuigd dat het een hersenschim moest zijn, een droom in een droom waaruit hij maar niet kon ontwaken. Hij probeerde het uit te schreeuwen om hulp te vinden of zichzelf los te maken uit de droom, maar er kwam geen geluid over zijn lippen. De achterkant van zijn keel zat hermetisch dicht.

Toen zag hij Aisja in een jurk die zo licht van kleur was dat hij bijna wit leek. Ze kwam op hem toe lopen en toch leek ze, tegelijkertijd, geen stap dichterbij te komen. Ze was voor eeuwig onbereikbaar, hield de lapis lazuli in haar uitgestrekte armen en zei: 'De kleur van de hemel. Het bloed van de engelen.' Het licht nam in intensiteit toe totdat het bijna duizelingwekkend was en recht in Paolo's ogen scheen.

Hij stak zijn handen omhoog, sloeg ze voor zijn ogen, voelde de hitte in zijn vingers branden en strompelde toen voorwaarts, want hij wist dat hij niet stil kon blijven staan. Hij moest en zou uit de grot ontsnappen en deze droom ontvluchten.

Toen voelde hij de bodem onder zich veranderen, de witheid verzachten en de lucht afkoelen. Voor hem, buiten de grot, voorbij een kiezelstrand zag hij een turkooizen oceaan en een azuren hemel. Hij snelde op de zee af, waarbij zijn blote voeten uitgleden op de kiezelsteentjes. Maar onder het rennen leek het met dezelfde snelheid eb te worden en hij besefte dat hij nooit de vloedlijn zou bereiken. Hoe sneller hij liep, hoe sneller het tij zich terugtrok, steeds verder buiten zijn bereik.

Een vreselijke hitte deed zijn lichaam zinderen. Hij keek omhoog naar de zon om te zien waar die plotselinge warmte vandaan was gekomen, maar die bestookte hem van alle kanten. De temperatuur steeg zo snel dat hij zich niet meer kon bewegen. Zijn enige hoop op verlossing lag of in de verre zee of te midden van de koele kiezels onder zijn voeten.

Hij zou zich het liefst laten vallen, maar zijn lichaam weigerde hem te gehoorzamen. Hij hoefde niets anders te doen dan zijn knieën buigen, maar daar kwam geen beweging in. Hij keek omlaag en zag dat, behalve zijn hoofd en zijn armen, zijn hele lichaam was versteend en dat hij blauw en massief was als de berg zelf.

Hoe moest hij zichzelf terugtransformeren tot vlees? De enige manier om bij de grond te komen zou het weghakken van zijn eigen lichaam zijn, het met hamer en beitel te lijf gaan, net zoals hij op de berg had ingehakt. Hij zou zichzelf moeten vernietigen.

Misschien waren deze stenen en kiezels de overblijfselen van alle mannen die voor hem toegang hadden proberen te vinden tot het geheim van de berg.

Toen begon Paolo zichzelf te stompen en bezeerde hij zijn handen aan zijn stenen lijf. Hij keek naar zijn armen, het enige vlees dat hij kon zien. Wat kon hij daarmee aanrichten tegen massief gesteente?

Terwijl hij toesloeg merkte hij op dat het bloed op zijn knokkels blauw was. Hij keek hoe het van zijn handen op de grond droop en vroeg zich af hoeveel bloed hij over had. Toen voelde hij zijn lichaam wankelen en voorovervallen, zijn gezicht sloeg tegen de koude stenen.

Hij voelde de prikkeling van vergetelheid, en de dood baarde hem geen zorgen meer. Niemand zou hem ooit meer lastigvallen, hij hoefde geen bevelen meer op te volgen. Hij zou in de donkerblauwe slaap van de bewusteloosheid zinken.

Hij rustte uit, wachtte af en luisterde naar zijn eigen ademhaling. Ten slotte werd hij zich bewust van een aanwezigheid, een gestalte die naast hem lag. Paolo opende zijn ogen en zag een vrouwenarm met de loodblauwe kleur van vlees vlak voor de dood intreedt.

Hij zette zich schrap tegen de grote gladde kiezels en richtte zich op om de bleke gestalte op het strand te aanschouwen.

Het was zijn moeder.

Toen Paolo wakker werd geloofde hij niet dat hij had geslapen. Hij had al lang geleerd niet op zijn ogen te vertrouwen, maar nu vroeg hij zich af of hij wel van zijn gedachten op aan kon.

Later die ochtend klom hij nogmaals achter Jamal aan tegen de berg op om samen met de vrouwen te werken, het gesteente te verwarmen, af te koelen en erop in te hakken. Onder het klimmen drong het tot hem door dat hij voortdurend aan Aisja moest denken. Hij wilde haar weerzien en toen hij op de top was aangekomen, bleef hij om zich heen kijken in de hoop dat ze in de buurt zou zijn. Als haar zoon nu maar wilde spreken zou hij hem kunnen vragen waar ze was en zich door hem naar haar toe laten brengen, maar Jamal leek uitsluitend belang te stellen in het gezwoeg van zijn gast.

Soms stond de jongen zo dicht bij hem dat zijn nabijheid Paolo's ergernis opwekte en hij zijn vermogen om op het gesteente in te hakken leek te schatten. Op een gegeven moment werd hij bijna geraakt door een uithaal met het pikhouweel.

'Achteruit jij,' beet Paolo hem toe.

Jamal keek hem nieuwsgierig aan, verbaasd over zijn woedeaanval. Hij deed een stap opzij, maar een kwartiertje later stond hij, bewust ongehoorzaam, weer even dichtbij. Er brandde een koppige vastberadenheid in zijn ogen en Paolo begreep dat zijn vader hetzelfde moest zijn geweest. Het was een blik die het land voor zich opeiste.

Paolo zette zich weer aan het werk. De rots spleet onder het geweld van zijn aanvallen uiteen, maar de trillingen golfden terug in zijn handen. Hij liet het pikhouweel vallen en sloot zijn ogen. Om hem heen stortte puin omlaag. Stof, gruis en steentjes dwarrelden in zijn haar en in zijn gezicht. Toen hij zijn ogen opende om te kijken wat hem was overkomen, kreeg hij een nieuwe lading stof in zijn rechteroog.

Hij wendde zich af van de rotswand omdat het stak in zijn oog, liep de grot uit en het licht in en hief zijn hand op om het stof eruit te halen.

Toen hoorde hij Aisja's stem. 'Wacht.'

Hij deed zijn linkeroog halfopen en kneep het rechter stijf dicht van de pijn. Hij kon nog net zien dat ze de rand van haar blouse naar haar lippen bracht. Ze vouwde een stukje ervan op tot een dun strookje en bevochtigde dat met haar tong.

'Kom. Laat mij maar. Doe je ogen dicht.'

Hij voelde de stof van haar blouse tegen zijn ogen toen zij het schoon veegde.

Een korreltje gruis had zich op een plekje vlak naast zijn neus genesteld en Aisja blies het weg. 'Zo.'

Paolo wreef in zijn ogen en opende ze. Hij zag haar gezicht vlak bij het zijne en de poriën van haar huid. Snel, vluchtig, streelde ze zijn wang. Terwijl hij de tederheid van haar aanraking voelde, zag hij het blauw van het gesteente onder haar vingernagels.

Ze glimlachte en deed een stap achteruit. 'Je hebt je kranig geweerd.'

'Ik heb hard gewerkt.'

'Dan heb je een beloning verdiend.' Aisja stak haar hand in de zak en koos er een steen uit. 'Hier. Die is voor jou.'

Paolo stak zijn hand uit en ze legde de lapis in zijn handpalm. In het heldere middaglicht leek de kleur lichter, alsof hij door de zon was gebleekt. 'Ik hoop dat je vriend in Siena tevreden zal zijn.'

Paolo keek naar de berg achter zich. 'Ik kan nauwelijks geloven dat ik hier ben. Het is net een droom.'

'Nee. Het is geen droom. Dit is het leven dat wij leiden.'

Het was frisser geworden en Jamal stelde zich naast zijn moeder op om met zijn aanwezigheid duidelijk te maken dat ze beter konden afdalen voordat de avondmist kwam opzetten en de duisternis viel. Aisja knikte, schikte haar hoofddoek en trok haar kleren om zich heen tegen de koude. Ze namen het langere, minder steile pad en Paolo wierp zijn zak over zijn schouder en bereidde zich voor op de terugweg. Onder het lopen deden ze er het zwijgen toe en concentreerden zich op het behouden van hun evenwicht. Moeder en zoon klampten zich aan elkaar vast en hun gast volgde op korte afstand. Pas toen ze weer op vlakke grond waren aangekomen hervatten ze hun gesprek.

'Er is iets dat ik zou willen vragen,' begon Paolo.

Aisja liet Jamals hand los en liet hem vooruitrennen. 'En dat is?'

'Ik wil graag weten waarom je zo aardig bent geweest.'

'Moet je dat echt weten?' Ze moest er bijna om lachen.

'Ik moet het niet weten. Maar ik wil het weten. Ik weet niet precies waarom. Misschien kun jij het me leren.'

'Ik heb je niets te leren. Misschien kun je dat beter niet vragen. Ik zou wel eens op andere gedachten kunnen komen.' Ze glimlachte.

'Doe dat alsjeblieft niet.'

Ze naderden de nederzetting en de vrouwen die waren achtergebleven waren bezig met de bereiding van kippenbouillon boven een eenvoudig vuur.

'Het valt niet mee,' begon ze, 'maar ik denk dat ik het beu ben. Ik ben het beu om deze berg te verdedigen. We zouden naar andere contreien moeten verhuizen, nieuwe jachtvelden moeten ontdekken. We blijven hier ter nagedachtenis aan onze mannen, maar het is te pijnlijk. Misschien kunnen we ons losmaken van het verleden door het gesteente weg te schenken.'

'Ik weet niet of ik je wel goed begrijp.'

'Misschien is dat ook nergens voor nodig. Als jij er maar voor zorgt dat je vriend mooi schildert. Een ander leven. Een beter leven. Zo'n wereld zou ik graag willen zien.'

ꕥ

Tegen de tijd dat Paolo terugkeerde naar de tent, waren zijn handen en zijn wangen bevroren. Hij hoopte dat Salek en Jacopo een vuur hadden aangelegd.

Toen hij aan zijn twee reisgenoten dacht, besefte hij dat hij zich begon te storen aan de tijd die ze besteedden aan gebed. Salek controleerde tenminste nog of alles goed was met de muilezels en of hun bezittingen veilig waren, doch Jacopo leek, afgezien van bidden en toekijken hoe anderen zich inspanden, weinig uit te voeren.

Paolo trok de flap van de tent open en betrad hun onderkomen. Hij zette zijn zak en zijn werktuigen voorzichtig op de grond. 'Kijk,' zei hij. Hij maakte de zak open en legde een groot stuk lapis op de grond.

Jacopo zat thee te drinken en leek niet verrast. 'Hoeveel wil ze ons geven?'

Paolo kon zich niet voorstellen dat dit het enige was waar Jacopo zich voor leek te interesseren. 'Ik weet het niet. Zoveel als we kunnen dragen.'

'Dan moeten we niet te lang dralen en flink doorwerken,' zei Salek. 'Als we te lang blijven zullen we hier de hele winter vastzitten. Dan zijn de bergpaden onbegaanbaar geworden. We moeten ons vertrek voorbereiden.'

'Maar we zijn hier nog maar net.' Paolo vroeg zich af wat het zou betekenen om hier de winter door te brengen. Geborgenheid, warmte en Aisja. Misschien zou hij de stenen langzamer los moeten hakken. 'We moeten genoeg hebben voor twee muilezels.'

'Eén muilezel,' bracht Salek ertegenin.

'Het is een heel grote muur die Simone moet schilderen,' drong Paolo aan. 'En er zullen meer fresco's volgen. We zouden het pigment aan andere schilders kunnen verkopen.'

'Denk je dat zij het je zal geven als ze weet hoezeer je staat te popelen om het te verpatsen? Heeft ze het je niet in vriendschap geschonken?'

'Dat heeft ze inderdaad.'

'Houd die vriendschap dan in ere,' zei Salek. 'En praat nog

eens met haar. Misschien zouden we jou beter hier kunnen laten.'

Paolo voelde dat hij een kleur kreeg.

'Je moet oppassen met weduwen,' zei Jacopo op onheilspellende toon, 'vooral als ze nog jong zijn.'

'Ik weet niet waarom u dat tegen me zegt,' antwoordde Paolo en hij ging bij het vuur zetten. 'Er is niets gebeurd.'

'Ze is ouder dan jij,' zei Jacopo. 'En zij houdt van de man die ze heeft verloren. Niemand zal hem ooit kunnen vervangen. Het ergste dat kon gebeuren is ook gebeurd. Nu ze alles kwijt is heeft ze niets meer te verliezen.'

'Volgens mij heeft ze nog hoop.'

'Volgens mij heeft ze die niet. Het kan haar niet schelen of ze nu of morgen sterft. Ze kan alles op het spel zetten. Dat maakt haar gevaarlijk.'

'Gevaarlijk?'

'Ze heeft geleden. Nu zal ze wraak willen nemen: op de wereld, op de mannen, op het noodlot en op de dood. Misschien zelfs op jou...'

&

De volgende ochtend vond Paolo het excuus dat hij nodig had om Aisja nogmaals weer te zien. Hoewel hij zich kon voorstellen hoe je verf kon maken van het gesteente, vroeg hij haar of hij mocht zien hoe de lapis veranderde als hij werd fijngehakt, vermalen of gepolijst. Hij wilde toekijken hoe zij er sieraden van vervaardigde: ringen, broches, juwelen en amuletten.

'Als jij me wilt helpen,' antwoordde ze, 'dan zal ik het je laten zien.'

Ze nam plaats aan een lage houten tafel en hakte erop los met een kleine ijzeren hamer, waarna ze de randjes bijschaafde om een ovaal te creëren teneinde daar een broche van te maken. 'Zo,' zei ze, 'nu zet ik de steen vast in de bankschroef. Geef me de zaag eens aan.'

Paolo keek hoe ze zich vooroverboog en de lapis bewerkte.

Vervolgens sleep ze het oppervlak om eventuele oneffenheden te verwijderen.

'Ik heb een pannetje met gruis en water nodig,' zei ze. 'Daar is het.'

Paolo goot water en ruw zand in het pannetje.

'Vergeet het deksel niet.'

Aisja mikte de steen in het pannetje en sloot het af. 'Schud nu het geheel waardoor de steen wordt gepolijst en gewassen.'

Paolo begon het pannetje heftig heen en weer te schudden.

'Nee.' Ze hield hem tegen. 'Rustig aan. Je moet er de tijd voor nemen. Beweeg de steen tegen het zand. Stel je voor dat je met een zeef naar goud zoekt.'

'Dat heb ik nog nooit gedaan.'

'Kijk,' zei ze, terwijl ze hem het pannetje uit handen nam. 'Ik zal het je voordoen.'

Ze begon het mengsel zachtjes heen en weer te schommelen. Paolo luisterde naar het geluid van de steen tegen het zand en keek naar de lichtval op haar handen. Hij keek nogmaals in haar ogen en bedacht hoe snel hun uitdrukking kon veranderen van vreugde naar verdriet en terug. Ze konden glinsteren en ze konden versomberen. Zelfs haar lach had een ondertoon van pijn, alsof hij langer had moeten duren en nooit een goed einde vond, alsof hij wegstierf voor hij goed en wel was begonnen.

'Nu jij.'

Paolo nam de pan van haar over en begon opnieuw de lapis tegen het zand aan te schuren.

'Dat is beter. We moeten heel voorzichtig te werk gaan.' Aisja keek bijna geamuseerd toe hoe Paolo de steen probeerde te schuren. 'Ik had gedacht dat jij, die zoveel weet van glas, wel zou inzien hoe breekbaar de wereld kan zijn.'

'Maar gesteente niet.'

'Het kan even gemakkelijk barsten als glas. Het heeft zwakke plekken.'

'In Venetië bestaat een speciaal soort glas dat breekt zodra het met een spoor van vergif in aanraking komt.'

‘Vergiftigen jullie elkaar in Venetië?’

‘Elke dag.’

Ze lachte opnieuw.

‘Ik zou het net zo goed willen kennen als dat glas,’ zei Paolo. ‘Zodat ik het onmiddellijk weet als er iets niet in de haak is. Zodat ik vertrouwen heb. Zodat ik weet waar ik heen ga. Zodat ik erop vertrouw dat ik vaste grond onder de voeten heb. Zodat ik niet zal struikelen of vallen.’

Aisja goot het mengsel af en droogde het stuk lapis in een doek. Toen ging ze zitten en begon de steen te polijsten. ‘Als je tragedie had gekend, dan zou je op het ergste zijn voorbereid en geen angst meer koesteren. Leef alsof je al dood bent.’

‘Doe jij dat?’

‘Als je het ergste hebt ervaren kan het niet erger.’

‘Maar ik weet niet hoe het moet zijn om zonder angst te leven.’

Aisja blies het stof van de gepolijste steen af en begon in het oppervlak te graveren en de broche te decoreren met een gestileerde feniks. ‘Jij bent nog zo jong.’

‘Vind je jezelf dan oud?’

‘Natuurlijk. Ouder dan jij.’

Paolo merkte op dat haar donkere haar, als ze haar hoofd naar voren boog om zich te concentreren, op haar handen viel. Ze moest heel even ophouden en het over haar schouders naar achteren werpen. Ze deed het in één enkele beweging, zonder haar concentratie te onderbreken, alsof ze helemaal alleen was. Paolo keek naar de glinstering van het etsinstrument dat ze stevig tussen haar vingers hield en dat in de blauwe steen kraste.

‘Zo.’ Aisja keek op en leek verbaasd dat Paolo nog in de kamer was. Ze keek hem met haar hoofd een beetje schuin naar het licht toe en een vreemde uitdrukking in haar ogen aan. Paolo vroeg zich af of hij iets verkeerds had gedaan.

‘Je baard,’ zei ze, alsof ze die niet eerder had opgemerkt. ‘Vind je eigenlijk dat die je goed staat?’

‘Waarom vraag je dat?’

'Omdat ik vind dat je er zonder baard beter zou uitzien.'

'Alle mannen hebben baarden. Dat heeft Jacopo me verteld.'

Aisja beschouwde de vermelding van Jacopo's naam als een uitdaging. 'Ik zou je graag zonder zien.'

'Zou je daar geen bezwaar tegen hebben?'

'Nee. Ik zou je erbij helpen.'

'Hem afscheren? Weet jij hoe dat moet?'

'Ik heb geleerd mijn vader te scheren toen hij oud was. Ik weet hoe het moet.'

'Ik weet niet of ik wel gladgeschoren wil zijn.'

'Nee? Wees dapper. Leef onversaagd.'

Paolo glimlachte. 'Dat heeft vast meer om het lijf dan alleen je baard afscheren.'

'Maar het is een begin,' antwoordde Aisja. 'Wees moedig.'

'Hoe kan ik jou tegenspreken?' antwoordde Paolo.

'Ik weet zeker dat je dat nog wel kunt leren.'

De volgende ochtend nam ze Paolo mee naar de rivier en zei hem zijn gezicht te wassen en zijn baard nat te maken. Ze legde een vuurtje aan en verwarmde een kommetje met water en bevochtigde wat talkzeep die ze vervolgens tussen haar handen wreef. Toen begon ze het voorzichtig op zijn gezicht te smeren.

'Is het niet te koud?' vroeg ze.

Ze trok het mes van haar vader onder haar gordel vandaan en sleep het aan een vuursteentje dat op de grond lag.

Paolo vroeg zich af of ze ooit iemand had gedood.

'Heb een beetje vertrouwen in me.' Ze glimlachte. 'Doe je ogen dicht.'

Ze ging achter hem staan en begon hem onder zijn kin te scheren, waarbij ze zijn haar omhoogstreek en Paolo's hoofd in de kom van haar handen liet rusten.

Hij voelde de scherpte van het lemmet door het haar van zijn baard, de koude lucht die langs zijn pas blootgestelde huid streek, de rug van haar hand tegen zijn gelaat.

Toen boog hij zijn hoofd achterover en voelde dat het haar borsten beroerde. Aisja liep om hem heen om hem aan te kijken. Ze glimlachte en hij bloosde toen ze dat deed, alsof ze allebei toegaven dat zijn laatste beweging geen toevalligheid was, dat hij niets liever wilde dan zijn hoofd tegen haar aan laten rusten.

Ze begon zijn wangen te scheren, streek zijn haar omlaag en veegde de overtollige zeep toen af met een doek.

Paolo voelde de koude lucht op zijn gelaat, de warmte van het water en de zachtheid van haar ademtocht. Hij sloot zijn ogen, liet zijn gezicht door haar handen sturen en snoof de geur op van amandelen en rozenwater.

Aisja spoelde het mes schoon en droogde het vervolgens af aan haar rokken, alvorens ze aan zijn linkerwang begon. 'Wat zou je het liefst willen,' vroeg ze, 'in je hele leven?'

'Dat is te veel gevraagd, lijkt me.'

'Vertel het me. Doe je ogen open.'

Ze keek hem recht in zijn ogen en wilde niet verder scheren voordat hij haar vraag had beantwoord.

'Nee,' zei hij, 'dat kan ik niet.'

'Vertel op.'

'Ik wil naar je kijken. Zoals nu.'

'Kijk dan.'

'Als ik je van heel dichtbij bekijk is mijn gezichtsvermogen buitengewoon scherp.'

Ze boog zich naar achteren. 'Zelfs mijn tekortkomingen. Ik moet op mijn hoede zijn.'

'Jij hebt geen tekortkomingen,' antwoordde hij ernstig.

'Nu vlei je me. Ik denk dat je nog maar eens goed moet kijken.'

'Ik kijk toch.'

'En wat zie je?'

'Ik zie de speling van je haar tegen je hals en de wijze waarop het in golven omlaag hangt. Ik zie dat je ogen niet altijd het donkerste amber zijn, maar zelfs donkergroen kunnen worden, met een glans van opaal, voortdurend veranderend, en dat ik elk ervan nog heel wat uurtjes zal moeten bestuderen voordat ik in staat zal zijn hun ware kleur te beschrijven.'

Aisja bleef even stil. Pas toen drong het tot haar door hoe

ernstig hij was geworden. Ze wierp hem de doek toe. 'Vertel me nog eens een verhaaltje. Laat me je stem horen.'

Paolo droogde de rest van zijn gezicht af. 'Ik weet niet wat ik moet zeggen.'

Ze ging naast hem zitten. 'Vertel me gewoon maar wat.'

'Er was eens een man,' begon hij, onzeker waar dat verhaal heen ging, 'die bang was. Hij was zo bang dat hij zelfs bang was voor geluk, omdat hij wist dat er altijd weer een einde aan kwam. Hij stapte aan boord van een schip en maakte een reis over de oceanen naar de andere kant van de wereld om zijn angst kwijt te raken. Hij droeg zijn angst als een bundeltje op zijn rug met zich mee. Overal waar hij kwam opende hij zijn bundeltje om het aan de mensen die hij ontmoette te laten zien. Aanvankelijk probeerde hij het te verkopen. "Wie wil mijn angst kopen? Ik vraag er maar vijf zilverlingen voor." Maar niemand wilde die aankoop doen, zelfs als het was om door te geven aan hun vijanden. Dus verlaagde de man de prijs tot drie zilverlingen, dan tot twee en vervolgens tot één zilverling. Maar nog steeds wilde niemand het bundeltje angsten van hem kopen. Toen probeerde hij het weg te geven. Maar opnieuw zonder succes. Doch op een dag, tegen het einde van zijn reis, besloot hij dat hij het ergens zou achterlaten, het ergens zou verbergen. En zo kwam hij bij een grot hoog in de bergen. En midden in die grot bevond zich een vrouw. Hij opende het bundeltje en liet haar zien wat er in zat. "Noem je dat angst?" vroeg ze. "Dat stelt niks voor." En opeens was de angst verdwenen, weggeblazen door de wind.'

Aisja keek hem recht in zijn ogen. 'En wat gebeurde er toen?'

'Ze begon het bundeltje te vullen met stenen. Het was het mooiste gesteente dat hij ooit had gezien. Maar het was ook het zwaarste. Toen hij het bundeltje op wilde pakken om te vertrekken, merkte hij dat het te zwaar was voor hem om te dragen. Hij zat in de val.'

'En was hij gelukkig?'

'Hij was nog nooit zo gelukkig geweest.'

'En hoe leefden zij?'

'Samen, natuurlijk.'

Een poosje zwegen ze. 'Was het leven maar zo'n sprookje,' zei Aisja op zachte toon.

'Misschien heb je naar de verkeerde verhalen geluisterd,' antwoordde Paolo.

'Of heb ik het verkeerde leven geleid. Kom. Het is koud. Ik heb honger. We moeten teruggaan.'

ꙮ

Die avond vroeg Jacopo zich in de mannentent af of het wel zo verstandig van Paolo was geweest om zijn baard af te scheren. Was dit liefde of jeugdige opstandigheid?

'Steek een pijpje van me op,' zei Salek. 'Nu je een man bent.'

Jacopo grinnikte.

'Jullie hoeven me heus niet te plagen,' protesteerde Paolo.

'Wees niet boos,' zei Salek. 'Je moet ons juist dankbaar zijn. We hebben jullie met rust gelaten.' Hij wendde zich tot Jacopo en voegde daar op snode toon aan toe. 'Saampjes.'

Beide mannen lachten, alsof het woord 'saampjes' nog nooit zo grappig was geweest. 'Ze mist het gezelschap van mannen,' merkte Jacopo op. 'En jij bent goed voor haar geweest.'

'Maar hoe goed?' kon Salek niet nalaten eraan toe te voegen.

'Zo is het welletjes,' zei Paolo korzelig en de mannen zaten zwijgend bij elkaar. Salek haalde zijn pijp tevoorschijn en Jacopo maakte aanstalten om te gaan bidden. Ze hoorden de muilezels buiten in de koude met hun hoeven stampen en het gehuil van een wolf in de verte en de stem van een vrouw die een slaapliedje zong voor haar kinderen.

'Wat trekt je zo in haar aan?' vroeg Salek.

Paolo wist niet goed wat hij daarop moest antwoorden. 'Ik weet het niet. Haar persoonlijkheid. Haar ogen,' zei hij simpelweg.

'Beschrijf ze eens.'

Paolo dacht een ogenblik na. 'Ze zijn van het diepste amber, even veranderlijk als ongewis.'

'Wat voor amber?'

'Zoals het hart van een vuur dat geleidelijk aan uitdooft.'
'En in hoeverre verschilt het rechteroog van het linker?'
'Ik heb alleen goed in haar rechteroog kunnen kijken, die kant van haar was het dichtste bij.'
'Sommigen zouden beweren dat je slechts in de helft van haar ziel hebt geblikt.'
'Dat is louter haar uiterlijke verschijning. Ze heeft veel meer in zich dan wat ik kan zien. Bovendien weten jullie dat ik heel slecht zie.'
'Maar denk je dat je verliefd op haar bent?' vroeg Salek.
'Dat weet ik niet. Ik weet alleen dat zij geen moment uit mijn gedachten is. Is dat liefde?'
Jacopo wijdde zich weer aan zijn gebeden. 'Wil je dat we je dat nu, hier in deze koude, vertellen?'
'Ja.'
'Van welke liefde wil je dat ik spreek? Van Gods liefde voor ons of van onze liefde voor God? Van de liefde van een vader voor zijn zoon, van een moeder voor haar dochter? De liefde van een kind? De liefde van een echtgenoot? De liefde van een vrouw? Ze zijn allemaal anders.'
'De liefde van de een jegens de ander. Van een man en een vrouw.'
'Van een man en een vrouw.'
'Van u en Sofia.'
'Die is iets tussen ons alleen.'
'Denkt u voortdurend aan Sofia?'
'Nee, maar ze is altijd bij me. Ik kan haar stem horen.'
'En wat zegt ze?'
'Ik praat met haar. En ze troost me. Soms denk ik dat niets in de wereld ertoe doet zolang ik deze liefde bezit. Er kan sprake zijn van droefenis, er kan sprake zijn van rampspoed, maar het enige dat ertoe doet is deze liefde.'
'Waarom bent u dan aan deze reis begonnen?'
'Soms houd ik meer van haar als we van elkaar gescheiden zijn. Als ik voortdurend met haar samen ben is het lastiger. Onze liefde floreert op afstand.'

‘En vertrouwt u haar?’

‘Natuurlijk vertrouw ik haar. Je beledigt me door zo’n vraag te stellen.’

‘En vertrouwt zij u?’

‘Zie ik eruit als iemand die van het rechte pad afwijkt, als een hond?’

‘Nee.’

‘Vraag me dat dan niet. Wat is er met je gebeurd? Denk je dat je van haar houdt, van die weduwe?’

‘Ik weet het niet. Misschien. Ik kan geen hoogte van haar krijgen.’

‘Nee. Maar misschien kan ze ook geen hoogte van jou krijgen. Een jonge Italiaanse knul...’

‘En zij is ouder, dat weet ik. Maar ik voel me geborgen.’

‘Geborgen?’

‘Bedoelt u dat liefde meer zou moeten zijn dan geborgenheid?’ vroeg Paolo.

‘Het lijkt me wel,’ antwoordde Jacopo.

‘Ik weet alleen dat ik haar voortdurend voor me zie. In mijn gedachten en in mijn dromen.’

‘Uitsluitend haar?’

‘Zij is de enige om wie ik me bekommer.’

‘Beschrijf haar stem eens voor me.’

‘Waarom?’

‘Beschrijf hem nou maar.’

‘Ik begrijp niet wat u bedoelt.’

‘Ik wil graag horen wat je te zeggen hebt,’ zei Jacopo resoluut.

Paolo dacht na en probeerde zich de laatste woorden te herinneren die ze tegen hem had gezegd. *Was het leven maar zo’n sprookje...* ‘Het is net een liedje dat ik altijd al wilde horen.’

‘En dat is de laatste stem?’

‘Wat bedoelt u?’

Jacopo zuchtte diep. ‘Zal ik je van liefde vertellen?’

‘Ja, graag.’

‘Stel je dan eens voor dat je stervende bent.’

'Hier?'

'Ik zal het je gemakkelijker maken. Jij ligt op een bed, niet tijdens een veldslag, niet op zee, of onder aan deze berg. Je ligt er comfortabel bij, maar je bent zwak. Er staat een drinkbeker met water bij je bed, gemaakt van Venetiaans glas. Je hebt geen honger. En er is niets dat je afleidt. Zulke zorgen zouden geen enkel nut dienen; want je weet dat je op sterven ligt. Je wacht heel gelaten op het einde: de laatste duisternis, de ultieme duisternis.

En terwijl je wacht, in de avondschemering, verwarmd door de laatste zonnestralen, word je je bewust van het feit dat er iemand naast je ligt en je toefluistert dat je moet gaan slapen. Maar wie is die persoon? Wat wordt er tegen je gezegd?

Op dat moment besef je dat dit de laatste stem is die je op aarde zult horen. Het definitieve afscheid. Jij zult sterven terwijl die stem je vertelt hoe zeer je bent bemind en je fluisterend vaarwel zegt. Maar aan wie behoort die laatste stem toe? Zou je willen dat het haar stem was?'

'Dat weet ik niet.'

'Denk na. Probeer het je voor te stellen. Nu lig je daar. Kun je haar stem horen?'

Was het leven maar zo'n sprookje.

'Of is het de stem van je moeder?'

Ik heb gedaan wat ik kon. Ik heb niet voor mezelf geleefd, maar uitsluitend via jou. Ik wilde dit doen. Ik wilde van je houden.

'Ik kan het niet goed horen. Er zijn te veel stemmen.'

'Luister dan beter.'

Denk je dat je van haar houdt, van die weduwe?

'Ik kan alleen uw stem horen. Ik kan me alleen uw stem voorstellen.'

'Ik voel me gevleid.'

'Ik zou willen dat het de hare was. Dat ik kon voelen dat ze naast me lag. Dat zij bij me was, net zoals ik bij haar zou zijn, nu, als ik zoiets zou moeten ervaren. Ik zou naar haar toegaan. Ik zou naar haar ademhaling luisteren. Ik zou in hetzelfde ritme ademen, alsof mijn ademtocht de hare zou kunnen worden opdat zij zou leven en ik wellicht zou sterven.'

'En zou je je omzwervingen staken, hier blijven en nooit meer weggaan? Alles opgeven?'

'Ja.'

'Nimmer meer terugkeren naar Simone en Venetië of je moeder nimmer terugzien?'

'Mijn moeder is misschien al dood.'

'Ik kan niet geloven dat je dat denkt.'

Paolo bedacht wat het zou betekenen om te vertrekken en wat het zou betekenen om te blijven. 'En u? Welke stem is de laatste die u verkiest te horen?'

'Je stelt me een vraag waarop je het antwoord al moet weten.'

'Dat is waar. Maar ik wil het uit uw mond horen. Vertel het me.'

'Maar natuurlijk is dat de stem van mijn vrouw, mijn geliefde, mijn Sofia, weeklagend in de woestijn,' antwoordde Jacopo.

Voordat Paolo in slaap viel, probeerde hij zich te herinneren hoe Aisja hem had aangekeken. Kon hij nu maar een stuk amber vinden dat de kleur van haar ogen evenaarde en voortleven na haar dood.

Haar dood? Waarom had hij zich zoiets voor de geest gehaald, op dit moment, alsof dat denkbeeld hem in zekere zin aansprak? Misschien was het omdat hij dan zou hebben ervaren wat lijden inhield en degenen die hem goed kenden dan zouden begrijpen hoe zeer hij had liefgehad. Door middel van zijn verlies zou hij aantonen dat zijn liefde groter, waarachtiger en gepassioneerder was dan alles wat zijn metgezellen ooit hadden gevoeld.

'Ben je wakker?'

Het was Salek.

'Denk je nog steeds aan haar?'
'Ja.'
'Ga dan naar haar toe.'
'Ik durf niet.'
'Bemin haar. Dat zou ik doen als ik jou was.'
'Maar u bent mij niet.'
'Kom. Ga naar haar toe.' Salek draaide zich om als om te gaan slapen. 'Vertel het haar.'

Paolo probeerde hem te negeren maar kon het niet uit zijn gedachten zetten. Hij wilde niet slapen tenzij hij zou dromen. Hij voelde de broosheid van de aarde onder zich, alsof die het elk moment kon begeven. Toen probeerde hij zich voor te stellen hoe hoog de hemel boven hem moest zijn. Hij leefde in een kloof van lucht tussen hemel en aarde waar hij niets van begreep, waarin hij verdwaald was.

En toen nam hij een besluit.

Hij zou het haar nu meteen gaan vertellen.

ꙮ

Hij stond in de hoofdtent en keek hoe Aisja lag te slapen, haar lange haar afhangend over haar rug. Heel even wilde Paolo niet dat er iets veranderde, wilde hij daar alleen maar blijven staan en naar haar kijken. Toen bewoog ze. En op dat ogenblik, ook al kon ze nog niet weten dat Paolo bij haar in de tent was, voelde hij al dat hij maar beter kon vertrekken.

Maar daar was hij niet toe in staat.

Hij liep naar het bed, ging op de rand zitten en strekte zich naast haar uit. Hij luisterde naar de wind buiten en naar haar in- en uitademen. Hij probeerde in hetzelfde ritme adem te halen. Misschien zou hij altijd hier in haar bed kunnen blijven, zonder dat zij het zelfs maar in de gaten had. Hij probeerde te bedenken hoe lang het zou duren voor de ochtend aanbrak.

Maar toen schrok Aisja met een ruk, nog half in slaap en verward, wakker. 'Jij.'
'Ja.'

'Wat doe je nu? Hier in mijn bed?' Ze draaide zich op haar zij en glimlachte.

Zelfs in het donker was het Paolo duidelijk dat het een glimlach van medelijden was: de glimlach van een moeder.

Opeens wist hij dat zijn kans verkeken was: nog voor zij opnieuw iets zei, nog voor zij haar hand uitstak en zijn wang streelde of het haar uit zijn ogen streek, wist hij dat hij overal beter had kunnen zijn dan hier, dat hij een vergissing had gemaakt.

'Jamal slaapt,' fluisterde ze.

'Ik wilde jou zien,' zei Paolo.

Aisja glimlachte. 'Het spijt me.'

'Waarom?' vroeg hij, nog steeds hopend dat hij het bij het verkeerde eind had, dat ze hem zou accepteren.

'Nee,' zei ze. 'Ik ben te droevig voor jou, ik heb te veel meegemaakt. Jij bent nog jong.'

Ze nam hem in haar armen en ze omhelsden elkaar. Paolo drukte zich dicht tegen haar aan en zij nam hem tot zich, maar niet op de manier die hij wilde. Ze koesterde hem zoals een moeder haar zoon koestert.

Hij begon te huilen en verafschuwde zichzelf om die reden. Hij kon niets doen om het tegen te gaan, alsof hij de hele reis juist op dit ogenblik had gewacht. Hij huilde om wat zijn leven voorstelde en om haar medelijden; omdat hij zich in haar armen bevond, om haar liefde. En hij huilde om zijn eigen dwaasheid en domheid; om zijn eigen jeugd waaraan hij, zo leek het, nooit kon ontsnappen.

Wanneer zou hij ooit oud genoeg zijn om zijn verlangens, om de hartstocht die hij in zich voelde opwellen, te bevredigen? Hoe lang moest hij nog geduld oefenen?

En toen voelde hij, daar hij immers nog maar een jongeling was, de jaren achterwaarts van zich afglijden, terug naar zijn kindertijd. Hij huilde om zijn moeder, om haar armen om hem heen, en om geborgenheid; om een liefde die onvoorwaardelijk was, een liefde waarop hij altijd kon bouwen en die hem nooit in de kou zou laten staan. Hij huilde om de afstand tussen hen.

Hij dacht aan thuis, de straten, de mensen en het glas. De straten die hij kende. De kerk van San Donato. Hij huilde om het gelach van zijn vrienden en zelfs om zijn vader, die in het vuur het glas vormgaf. En toen huilde hij om haar, om Aisja, om haar leven en om haar tragedie, een verhaal dat hij niet kon veranderen of tenietdoen, waarvoor hij genezing noch troost kon bieden.

ꕥ

Toen hij, later die nacht, Aisja had verlaten, zag Paolo Salek, op bijna slinkse wijze, uit een andere tent komen. Daar begreep hij niets van.

'Wat hebt u uitgespookt?'

'Niks.' Zijn gids glimlachte. 'Net als jij heb ik een vriendinnetje gevonden.'

'Dat hebt u dan heel stil weten te houden.'

'Natuurlijk. Ik hoef het toch niet aan de grote klok te hangen?'

'Vindt u dat ik dat heb gedaan?'

'Jij bent een knaap geweest. Misschien moet je proberen een man te worden.'

'En wat houdt dat dan wel in?' vroeg Paolo.

'Geduld. Zelfbeheersing. Kalmte en kracht.'

'Is dat alles?' reageerde Paolo.

ꕥ

Toen Aisja Paolo de volgende ochtend zag, was ze op haar hoede, alsof ze had besloten dat zowel hun liefde als hun vriendschap uitzichtloos was.

'Jij hebt je door de steen en mij van de wijs laten brengen,' zei ze tegen Paolo. 'Heb je je wel eens afgevraagd hoe ons leven hier eruitziet? Het is een worsteling om te overleven. Een dak boven je hoofd, eten, geboorte, dood. Liefde is een luxe. Daar rekenen wij niet op. En die komt geen tweede keer. Jouw leven is een voorrecht, avontuurlijk. Jij kunt gaan en staan waar je wilt. Ik niet.'

'Kom dan met me mee.'

'Nee, dit is mijn volk. En mijn zoon is er ook nog. Denk niet dat je hier zomaar kunt binnenvallen en mijn leven op zijn kop kunt zetten.'

'Dat vraag ik ook niet van je. Ik wil alleen maar bij je zijn.'

'Maar hoe dan. Je moet terugkeren naar je huis. Als je zou blijven zou je ondervinden hoe moeilijk het leven kan zijn. Jamal lesgeven, dieren slachten, in koude en armoede leven. Jij hebt geen benul van die dingen.'

'Ik heb de wereld afgereisd.'

'En voortdurend doorgereisd. Want ben je ooit ergens langere tijd gebleven? Nooit. Jij weet niet hoe het is om hier te leven. Hoe zou ik dat van je kunnen verlangen?'

Het was de eerste keer dat ze toegaf dat ze een toekomstig leven samen met hem zelfs maar had overwogen.

'Probeer het,' antwoordde Paolo. 'Vraag het me.'

'Je moet het me vertellen,' antwoordde ze. 'Maak mij duidelijk hoe zoiets ooit mogelijk zou kunnen zijn.'

'Dat kan ik alleen door van je te houden.'

'En hoe dacht je dat te doen?'

'Door uitsluitend aan jou te denken. Door zowel voor jou als voor je zoon te zorgen. Door te beloven terug te komen en als ik eenmaal terug ben nooit meer weg te gaan.'

'Ik geloof je niet.'

'Je moet me geloven.'

'Waarom?'

Paolo boog zich naar voren en kuste haar. Hij deed zijn ogen dicht, niet in staat zijn stoutmoedigheid of haar reactie te geloven. Zo, dacht hij, zo voelt het aan om te beminnen.

Zijn hoofd vulde zich met duisternis.

Toen duwde ze hem zachtjes achteruit.

Jamal had naar hen staan kijken.

Vanaf dat moment raakte Paolo geobsedeerd door de gedachte dat Aisja's gevoelens uitsluitend werden ingegeven door medelijden. Ze zag hem als een tweede zoon. Hij moest wedijveren met Jamal en wist dat hij die strijd nooit zou kunnen winnen.

Hij keek toe hoe de jongen langs de rivier stenen verzamelde, ze uitkoos en ze een voor een op grootte, vorm, kleur en gladheid inspecteerde. Dit was dus zijn uitdaging: van de jongen te houden die niet wilde dat er van hem werd gehouden. En hoe zou hij van hem kunnen houden als de jongen zo weinig op had met zijn liefde voor haar? Hoe zou het zijn om van het kind van een ander te houden?

Hij herinnerde zich dat dit nu precies was wat Marco en Teresa hadden gedaan. Hij moest leren lief te hebben zoals zij hadden liefgehad.

Hij ging naast Jamal zitten en hielp hem bij het sorteren van de stenen. Terwijl hij dat deed, zag Paolo in gedachten voor zich hoe Aisja de liefde bedreef met de vader van de jongen. Hij probeerde dat beeld, de jaloezie en de wellust, diep in zich weg te drukken. Die liefde was verleden tijd, wist hij, maar evengoed was hij immer aanwezig. De jongen was daar het levende bewijs van.

Hoe zou hij die passie ooit kunnen evenaren? Hoe kon hij die vervangen of terugwinnen? Hoe was het om van iemand te houden die al eerder bemind was? Hoe kon hij Aisja's leven nieuwe inhoud geven? En hoe dacht hij ooit een vader voor de jongen te kunnen zijn?

Ze begonnen de stukken steen die Jamal uit de rivier had gehaald te verdelen naar hun koloriet en intensiteit, naar licht en donker. Terwijl ze daarmee bezig waren, realiseerde Paolo zich dat de jongen net zo was als hij. Ook hij was alleen, verlegen en onbeholpen. Ook hij had mensen vermeden en uitsluitend gedacht in patronen van steen en het was moeilijk om van hem te houden.

Moeilijk om van te houden. Dat ben ik, dacht Paolo. Ik heb het Marco ooit zo horen formuleren. Zo moet ik ook zijn. Ik mag nog blij zijn dat er überhaupt iemand is die belang in me stelt. Ik zou deze jongen in zijn eenzaamheid moeten bijstaan, want ik weet hoe het is om je in de steek gelaten te voelen. Wij zullen samen vaderloos zijn.

Ze selecteerden de stenen.

Misschien zou ik een oudere broer kunnen zijn, dacht Paolo. Een broer die wist wat het betekende om niet goed te kunnen zien; een broer die hem kon beschermen. En via zijn zorgzaamheid voor de jongen zou hij wellicht de liefde van de moeder kunnen winnen. Maar kon hij werkelijk houden van de jongen die niet zijn zoon was of zou hij moeten doen alsof? En als dat het geval zou zijn, zou Aisja dat zeker in de gaten hebben. Hij kon mensen op de mouw spelden dat een stuk glas een juweel was, maar hoe kon hij liefde voor een kind voorwenden?

Paolo trok een cirkel in de aarde. Toen legde hij de donkerst blauwe stenen in het midden. Ze zouden samen een patroon creëren en het zou kleur uitstralen, van het donker in het midden tot het lichtste lapis lazuli helemaal langs de buitenrand. Hij wilde dat de jongen de diepte en de nuances van het blauw dat Aisja zag begreep: azuur en hemelsblauw, kobalt, saffier, koningsblauw, marineblauw en zeeblauw; het paarsachtige blauw in damastpruim en meekrap; het groenachtige blauw van beril, turkoois en aquamarijn; blauwe as, karmijn en indigo.

Terwijl zij aan het werk waren merkte Paolo dat Jamal diepte en koloriet met verbijsterende helderheid kon onderscheiden. De cirkel bevatte de subtielste nuances, waarbij elke kleurschakering overvloeide in die van de steen die ernaast lag. Hij glimlachte en wees naar de hemel en toen weer terug naar de aarde, naar de blauwe cirkel boven en onder hen.

'Wat zijn jullie aan het doen?' Het was Aisja's stem.

Paolo draaide zich om om te zien hoe haar silhouet zich aftekende tegen de zon. 'We hebben gewerkt.'

'Samen.'

'Waarom niet?'

Jamal rende naar zijn moeder toe. 'Mijn dappere jongen.' Ze glimlachte en nam hem in haar armen.

Dezelfde woorden. Paolo voelde nogmaals een golf van afgunst en radeloosheid in zich opwellen. Hij keek hoe haar zoon zich vastklampte aan de plooien in Aisja's rokken en zijn hoofd tegen haar middel drukte.

Vanaf dat moment was Jamal altijd aanwezig als Paolo Aisja zag. Als de jongen niet pal naast zijn moeder stond of zelfs tussen hen in, was hij toch nooit ver weg, als een bewaker die altijd op de uitkijk stond. Hoe meer Paolo hem trachtte te negeren, hoe interessanter Jamal hem leek te vinden. De jongen kreeg er nooit genoeg van. En iedere keer als Aisja sprak over haar verleden of over haar toekomstige leven, had ze het over haar zoon, beschermend en vol trots. 'Je moet hem zijn stilzwijgen niet euvel duiden,' beklemtoonde ze.

'Dat doe ik niet,' loog Paolo.

'Hij heeft zijn hart gesloten en dus zwijgt zijn mond.'

'Zal hij ooit weer spreken?'

'Ik zou het niet weten. Elke keer als ik hem zie, elke keer als hij zich aan me vastklampt, word ik herinnerd aan wat ik verloren heb. Soms doet het pijn als hij zo dicht bij me is, maar ik zal nooit zonder hem kunnen leven. Ik zou liever sterven dan hem te moeten afstaan. Ik moet iedereen die me kent laten zien dat de liefde sterker is dan de dood; dat ik hem zal beschermen en dat hij geen kwaad te duchten heeft.'

ꕥ

Toen Aisja haar zoon de volgende avond naar bed bracht, keek hij op en zei eenvoudigweg: 'Je houdt meer van hem dan van mij.'

'Nee, Jamal, dat is niet waar.'

'Wel waar.'

'Ik bemin hem op een andere manier.'

'Je geeft dus toe dat je hem bemint.'

'Beminnen is misschien niet het goede woord,' antwoordde ze.

ꙮ

Aisja probeerde Paolo uit haar gedachten te zetten. Het was absurd. Maar terwijl ze op het gesteente inhakte, merkte ze dat ze zich niet kon concentreren. Ze hoorde steeds weer zijn stem en herinnerde zich de manier waarop hij naar haar keek.

Hij had een toewijding en een vastberadenheid over zich die onwrikbaar leken. Misschien kwam dat omdat hij zo weinig van de wereld buiten zich kon zien dat hij de direct nabije wereld veel beter kende: de wereld van de geest en het gevoelsleven was hem vertrouwder dan de wereld van actie op een afstand. Maar hoe was hij werkelijk? En waarom hield hij van haar?

En ze maakte een inkerving in een stuk lapis, waarbij het mes weggleed en in haar linkerhand sneed. Bloeddruppels vielen op de steen, donkerrood op het blauw. In weerwil van de pijn hield ze op en keek naar de wond, zag de bloeddruppels vallen, zonder te kunnen geloven dat ze zo onvoorzichtig was geweest. Ze stond op en keek om zich heen of ze een doek zag waarmee ze haar hand kon verbinden. Die was er niet.

De wond was smal maar diep en ze klemde haar rechterhand rond de pols. Ze zou haar zuster om raad moeten vragen.

'Wat scheelt eraan?' vroeg Shirin.

'Ik ben onvoorzichtig geweest.'

'Je hebt je nog nooit eerder gesneden,' antwoordde haar zuster.

'Nu wel.'

'Kom,' zei Shirin. 'Laat me eens kijken.' Ze pakte een doek en doopte die in een emmer water en bette toen de wond. 'Waar zat je met je gedachten?'

'Vraag het me niet.'

'Dan weet ik het al.'

'Heb je het gemerkt?'

'Natuurlijk heb ik het gemerkt. Iedereen heeft het gemerkt. Je dacht toch niet dat je zulke dingen geheim kon houden?'

'Er is niets gebeurd.'

'Ik geloof je niet.'
'Het is dwaasheid.'
'Als je eenmaal begint lief te hebben,' zei Shirin, 'is het heel moeilijk om ermee op te houden.'
'Ik heb één keer liefgehad. Is dat niet voldoende? Was dat niet mijn lot?'
'Nee. En misschien is het tijd om de rouwperiode achter je te laten.'
'Ik wil de herinnering niet verraden.'
'Dujan zou opnieuw zijn getrouwd.'
'Ik heb het niet over het huwelijk.'
'Maar je hebt het over de liefde.'
'Ja, dat klopt,' zei Aisja simpelweg. 'Ik zou opnieuw willen liefhebben. Me bevrijd willen voelen.'
'Hij vertrekt binnenkort weer,' zei Shirin. 'Misschien komt hij nooit meer terug. Waarom zou je hem nu niet beminnen?'
'Omdat ik hem geen pijn wil doen. En ik wil hem niet kwijtraken, niet opnieuw zo'n verlies moeten lijden.'
'Maar je bent niet gelukkig.'
'Denk je dat ik gek ben?'
'Nee, ik denk dat je je bevoorrecht mag voelen.'
'Ik voel me niet bevoorrecht.'
'Maar dat ben je wel.' Shirin was klaar met het verbinden van de hand.
Aisja's blik kruiste die van haar zuster. 'Denk je dat ik hem moet blijven ontmoeten, zelfs als ik weet dat hij moet vertrekken?'
'Misschien komt hij terug. Heeft hij dat gezegd?'
'Dat heeft hij.'
'En geloof je hem?'
'Ja,' zei Aisja, 'ik geloof hem.'
Ze dacht nog eens na over Paolo: zijn merkwaardige ernst. Ik houd van deze man, dacht ze.

Toen Aisja Paolo terugzag, wist ze nauwelijks wat ze moest zeggen. Het was de eerste keer dat hij haar zo zenuwachtig had gezien en hij gaf blijk van zijn zorg om haar hand. Maar toen hij haar probeerde te troosten, verzette ze zich.

'Als je zo bezorgd bent, zou je ook niet kunnen weggaan, maar hier blijven om je om me te bekommeren,' zei ze op uitdagende toon.

'Je weet dat ik een plicht te vervullen heb.'

'En ik weet ook dat je de mannen met het gesteente naar huis kunt sturen zonder zelf mee te gaan.'

'Ik moet gaan. Dat heb ik beloofd. Net zoals ik jou een belofte heb gedaan. Ik hoop dat je nu inziet wat dat betekent.'

'Dat kun je nu gemakkelijk zeggen.'

'Kom dan met me mee.'

'Je weet dat ik dat niet kan doen.'

'Wacht dan op me.'

Aisja raakte plotseling buiten adem. Waarom spraken ze zo tegen elkaar? 'Dichters vertellen ons dat de liefde voortdurend opbloeit en afneemt en nooit hetzelfde blijft. Men heeft altijd meer lief dan de ander: de minnaar en de beminde.'

'Dan is het onze taak de liefde constant te maken, onveranderlijk...' zei Paolo.

'Tot de dood ons scheidt.'

'Dat houden de priesters ons voor.'

'En hoop jij op een ander leven, voorbij de sterren?' vroeg ze.

'Ik geef er de voorkeur aan hier terug te komen om jou terug te vinden en van je te houden in deze wereld en in deze wereld alleen, zonder hoop op een andere.'

'Denk je eens in wat zo'n liefde zou kunnen betekenen.' Aisja staarde in de dovende vlammen. 'Denk eens aan je leven.'

'Aan ons leven,' viel hij haar in de rede.

'Jouw leven. Jouw toekomst. Je zou beter niet van mij kunnen houden. Ik moet je je vrijheid teruggeven. Het is niet goed.'

'En als ik zeg dat het wél goed is?' vroeg hij.

'Dat is het niet.'

Paolo keek haar recht aan. 'Je maakt je zorgen om Jamal.'

'Nee. Ik maak me zorgen om jou.'
'Ik kan zijn vader niet zijn.'
'Nee.'
'Maar ik kan proberen zijn broer te zijn. En ik kan je verzekeren dat ik altijd van je zal houden.' Paolo wachtte even. 'Dat weet ik.'

Hij dacht dat Aisja opgehouden was naar hem te luisteren, dat ze deze woorden niet wilde horen, maar toen riep ze uit: 'Maar zul je me beminnen? Bemin je me echt? Ik kan niet nogmaals zo'n verlies verdragen. Mijn hart mag niet broos worden gemaakt alleen maar om opnieuw te worden gebroken.'

'Dat is het enige in het leven waarvan ik zeker ben.'

Aisja zweeg, boog zich naar voren en ze kusten elkaar nogmaals. Misschien voelt de dood net zo aan, vroeg Paolo zich af, als deze overgave.

Toen maakte Aisja zich van hem los. Aanvankelijk had Paolo de indruk dat ze misschien in huilen zou uitbarsten, maar in plaats daarvan deed ze een stap achteruit en keek hem diep in zijn ogen.

'Bemin me,' zei ze.

ꙮ

De volgende ochtend keek Salek omhoog naar de strakblauwe lucht. 'Van nu af aan zal het elke nacht vriezen. Morgen moeten we vertrekken,' zei hij tegen Jacopo. 'We zijn al te lang gebleven.'

'Ik moet het de vrouw gaan zeggen,' zei Jacopo. 'Kom mee.'

'En wie brengt de jongen op de hoogte? Misschien is hij van plan om hier te blijven,' antwoordde Salek.

'Ik zal het hem zeggen,' zei Jacopo. 'Hij moet opnieuw leren hoe het is om afscheid te nemen.'

In de verte zagen ze de vrouwen die de laatste muilezels bijeendreven. Salek had gelijk, dacht Jacopo; ze waren al te lang gebleven. Het was de hoogste tijd. Nog meer lapis zou moeilijk mee te torsen zijn.

‘Zijn jullie niet gelukkig hier?’ vroeg Aisja.

‘We zijn gastvrij onthaald. En jij hebt ons ware vriendschap getoond. Maar we hebben zaken te doen in China. Salek heeft gezegd dat we voor de winter valt moeten vertrekken omdat we anders helemaal niet meer wegkomen.’

‘Zou dat zo vreselijk zijn?’

‘We zouden jullie tot last zijn,’ zei Salek. ‘We zouden jullie voedselvoorraden doen slinken.’

‘En nemen jullie het gesteente mee?’

‘Met dankbaarheid.’

Ze voelde de angst en de misselijkheid van het verlies. De ontzetting keerde terug: de aftocht van de liefde, het einde van het geluk. Hoe kon ze zo dwaas zijn geweest en hoe had ze zich zo aan iemand kunnen binden, terwijl ze wist dat er een einde aan moest komen? ‘Paolo zal bedroefd zijn.’

‘We hebben geen keuze.’

‘Vanavond dan,’ zei Aisja opgeruimd, doch zonder precies te weten wat ze eigenlijk zei. ‘Dan moeten we vanavond een afscheidsfeest vieren.’

❧

De namiddag was stralend en helder, en hoewel de zonnestralen de sneeuw fel beschenen, was het te koud om hun warmte te voelen. Twee vrouwen begonnen koemis te maken en ranselden de ezelinnenmelk in grote leren zakken die aan raamwerken waren opgehangen totdat de wei zich had losgemaakt van het stremsel. Anderen bereidden boal uit honing. Paolo kende hun namen – Zuleika en Amaba, Rabia en Shirin, Leila en Durkhani. Een ander groepje vrouwen was bezig boven een open vuur een schaap te roosteren en pilau en kebabs te maken.

Een diep hoorngeschal klonk om het begin van het festijn aan te kondigen. Aisja doopte haar vingers in de kom met koemis en bevochtigde de monden van hun huisgoden met de drank. Toen sneed zij stukken vlees van het schaap aan het spit en legde die voor elk van de afgodsbeelden neer.

'Behoed ons, goden van onze voorvaderen en goden van onze zonen die zijn geweest en zullen zijn. Wij vereren u zoals u ons vereert.'

Toen ze voor hen boog raakte Jacopo in paniek. 'Hier kan ik niet aan meedoen.'

'Trek je niets van hen aan,' zei Salek. 'Ze zullen jou niet lastigvallen.'

De vrouwen gaven elk van de mannen een kommetje rijstwijn, sesampasta, Spaanse pepers en soja. Ze dienden het vlees te pakken, het in de gezamenlijke bouillon af te koken en dan in hun saus te dopen.

Salek schepte zijn vlees op met een houten lepel. *'Strek je arm, God zij geloofd, een lang leven, moge je niet vermoeid raken.'*

Jacopo liet het vlees links liggen. 'Het zit me niet lekker. Wat zou ik geven voor wat fatsoenlijk joods eten: latkes, kugel of kreplach. Het is bijna Chanoeka. En wat zou ik niet overhebben voor wat rugelach,' mijmerde hij. 'Of zelfs kip. Al hadden ze maar een kippetje, dan zou ik een gat in de lucht springen.'

'Hou op met dat geklaag,' fluisterde Paolo.

'Wie klaagt er hier?' vroeg Jacopo. Hij pakte het brood en de pilau en dronk van de koemis. 'Gun een man zijn dagdroompjes.'

De vrouwen zaten in een kring op trommels te slaan, en zongen uitdagende liedjes over liefde en oorlog. Salek stak een pijpje op. Jacopo lag op zijn rug en keek omhoog naar de sterren.

Verwarmd door het vuur, verzadigd van het vlees en opgevrolijkt door de koemis, verspreidde zich een stille voldaanheid door de gemeenschap. Eén nacht hoefden zij nu eens niet te denken aan hun kommervolle verleden of hun onzekere toekomst. Enkele vrouwen begonnen te dansen.

Aisja gebaarde naar Paolo dat hij naast haar op de grond moest komen zitten. 'Moet je de hemel zien,' zei ze. 'Kijk hoe duister hij wordt. Hij kan bijna net zo snel veranderen als een mensenleven.'

Ze sloeg haar arm om hem heen en trok hem tegen zich aan om hem te verwarmen. 'Kijk nu toch eens: het donkerste blauw vlak voordat het zwart wordt.'

Samen keken zij hoe de wolken in het duister opgingen en elk detail vervaagde terwijl de sterren opkwamen. Zij waren even talloos als de dood.

Haar blik nog steeds omhoog naar de hemel gericht, zei Aisja eenvoudig: 'Je gaat dus weg?'

'Je weet dat ik wel moet.'

'Nee. Je moet niet. Je wilt het. Maar laten we geen ruzie maken.'

Paolo pakte haar hand. Zonder na te denken begon hij die te strelen, de lijnen van haar vingers volgend. 'Toen ik vandaag in de grot bezig was met het loshakken van de stenen vond ik insecten die erin verborgen leefden. Zij waren zich niet bewust van het gesteente, zij waren er niet bang voor en trokken zich er niets van aan. Planten groeiden er: in het gesteente en buiten de duisternis. Dat is net liefde. De steen kan best even machtig zijn als het lot, dat houd je niet voor mogelijk, maar toch kan hij kapot worden gemaakt. Hij moet kapot worden gemaakt; en dan komt het leven tevoorschijn, sterker dan de steen waaruit het is ontsproten.'

Ze kusten elkaar, zijn hoofd weggebogen van haar oog, zodat hij haar niet langer duidelijk kon zien. Hij deed zijn ogen dicht en voelde zijn lichaam wegzinken, waarbij alle gedachten aan zijn verleden en zijn toekomst werden losgelaten en hij alleen dit moment wilde koesteren.

Aisja hield op alsof ze zich vreemd voelde en bang was, en eerst tot zichzelf wilde komen. Paolo opende zijn ogen en keek recht in de hare. Hij hield zijn hand omhoog om zich te beschermen tegen het felle licht, om alleen naar haar te kunnen kijken, omdat hij geen ander licht wilde zien. Nu kon hij duidelijk zien, scherper dan hij ooit eerder iets had gezien.

'Kom met me mee,' zei Aisja, en ze trok hem mee naar haar tent. 'Kom nu bij me.'

Ze konden over alles praten; ze konden dromen en praten en

net zo kwetsbaar en angstig zijn als ze altijd geweest waren maar dat nooit eerder onder woorden hadden kunnen brengen. Ze omhelsden elkaar en wisten dat dit vluchtige ogenblik tussen slapen en waken, dit waas tussen droom en werkelijkheid de tijd kon trotseren. Aisja trok haar jurk uit en tilde hem boven haar hoofd en Paolo was verbluft over haar naaktheid. Hij trok zijn kleren uit, verbaasd over de zachtheid van vlees tegen vlees, leven tegen leven. Voordien was hij maar voor de helft zichzelf geweest. Nu was hij compleet. Zijn leven had betekenis. Niets zou ooit nog zo belangrijk zijn als nu.

ꙮ

De volgende ochtend werd hij met een ruk wakker. Iemand stond hem door elkaar te schudden en hem weg te trekken van alles wat hij had gevonden.

'Kom, we zijn klaar.' Het was Salek. 'Laat haar alleen. Kleed je aan.'

'Dat kan ik niet,' zei Paolo.

'Je moet. Alles is ingepakt. We hebben dit allemaal voor jou gedaan.' Salek trok Paolo uit bed, raapte zijn kleren op en gooide die naar hem toe.

Aisja bewoog en ging, de dekens om zich heen trekkend, rechtop zitten.

'We moeten vertrekken,' zei Salek. 'Dat weet je.'

'Geef me dan tenminste gelegenheid afscheid te nemen.'

Toen wrong Jamal zich langs Salek. Hij was zijn moeder komen opzoeken. Zodra hij Paolo zag, die bezig was zich aan te kleden, bleef hij staan.

'Waarom ga je weg?' vroeg hij. Het was de eerste keer dat hij iets tegen hem zei.

'Ik moet wel.'

'Opschieten,' zei Salek. 'We zijn al te laat.'

'Te laat, waarvoor?' vroeg Paolo.

Er is misschien storm op komst. Kom nu toch mee.'

Jamal trok aan Paolo's arm. 'Blijf hier,' zei hij.

'Dat kan hij niet,' zei Salek, en Paolo wist dat het waar was.

'Ik kom terug.' Paolo pakte zijn reistas en woelde met zijn hand door Jamals haar. Hij wendde zich tot Aisja. 'Dat weet je. Dat heb ik beloofd.'

'Hier,' zei ze, 'pak aan.' Ze greep een jas van dierenhuid.

Paolo boog zich naar voren en kuste haar opnieuw.

Salek kwam tussenbeide. 'Daar is geen tijd voor. Kom mee.'

Aisja klemde haar handen om Paolo's armen. 'Denk aan ons.'

'Ik zal aan niets anders denken.'

Jacopo stond buiten te wachten. Paolo probeerde zich te concentreren doch zag niets anders dan laaghangende donkere wolken die op hen toe kwamen. De koude lucht woei in hun gelaat, snijdend en aanhoudend. De sneeuw werd van de grond getild en wervelde in de wind en de scherpe korrels dwarrelden in hun gezicht.

'Help eens mee,' riep Jacopo. 'Houd de dieren in toom.'

Paolo nam de teugels over die Jacopo hem aanreikte en voelde hoe de muilezels, wanhopig zoekend naar beschutting en vrijheid, hem mee probeerden te trekken. Voor zich zag hij Salek die door de regen riep: 'Voorwaarts.'

Ze worstelden zich een weg door de storm en daagden hem uit. De regen striemde Jacopo's gezicht en het indigo waarmee hij zijn baard had geverfd kleurde de waterdruppels die langs zijn nek omlaag gleden.

'We moeten doorgaan,' riep Salek. 'Blijven lopen. Het wordt alleen maar erger.'

Het pad voor hen veranderde in een poel van dikke modder die aan de hoeven van de muilezels bleef kleven. Ze strompelden vooruit en de regen minderde voldoende om hun duidelijk te maken hoe hevig de storm was en de koude en nattigheid die hen omhulde te voelen.

'Ik zei toch dat we eerder hadden moeten vertrekken,' riep Salek.

Paolo had zich nog nooit zo eenzaam gevoeld.

Uiteindelijk vonden ze beschutting in een smalle luwte. Salek ontzadelde zijn muilezel en begon een tent op te zetten, maar die was zo nat dat zij eerst moest worden uitgewrongen. Niets was aan de storm ontsnapt.

'We moeten een kampvuur aanleggen. Leg deze te drogen. Vannacht kan het best gaan vriezen en dan is alles als ijs – onze tent, onze kleren, ons voedsel. Je moet hout zien te vinden. Ik steek vast aan wat we hebben. Schiet op.'

Paolo trok een tak van een boom, maar gaf er zo'n harde ruk aan dat een deel van de bast in zijn hand sneed. Hij keek naar het bloed en herinnerde zich hoe Aisja zijn gezicht had geliefkoosd. Hij voelde de zoete pijn van de tederheid die uit zijn leven geweken was en probeerde alle mogelijke manieren te bedenken waarop hij haar terug kon zien.

Spoedig zou het nacht zijn. De lucht beet in hun botten. Ze staken het vochtige hout in brand en gingen eromheen zitten, uitgeput en zonder een woord te wisselen. Toen nuttigden ze dunne kruidensoep met *naan*-brood.

Paolo had het gevoel dat zijn lichaam niet langer van hem was. De wereld was grauw geworden, zelfs haar schoonheid. De klaarheid van de hemel, de gigantische rotsformaties, de open horizon voor hem betekenden niets. Het deed er niet langer toe wat hij at of waarheen zijn reis ging. Hij zwalkte futloos en doelloos rond, alsof de primaire vonk die zijn leven deed ontvlammen en zin gaf was verdwenen. Elke handeling die hij verrichtte – staan, lopen of zich op enigerlei wijze bewegen – kostte hem een energie waarvan hij niet zeker wist of hij die nog bezat.

Hij ging liggen, in de wetenschap dat hij de laatste keer dat hij dat deed bij Aisja was geweest. Wellicht was dit nu zijn taak – zich haar herinneren, alle andere herinneringen verdringen om te worden vervangen door de gloed van de liefde. Hij zou denken aan Aisja's ogen zoals die half geloken waren wanneer ze hem kuste, aan de manier waarop haar ademhaling veranderde, aan de vochtigheid op het buitenrandje van haar lippen. Hij droomde van haar strelingen in de halfwakkere, half slapende duisternis; en wist dat dat het enige was dat hij verlangde.

Hij probeerde zich de poriën van haar huid te herinneren, de versnelling van haar polsslag en het rijzen en dalen van haar borsten als ze ademde: alle schoonheid samengebald in dat ene ogenblik.

De daaropvolgende dagen, weken of maanden, zo lang hun reis duurde, zou hij trachten louter in zijn herinnering te leven.

TUN-HUANG

Nu reisden ze oostwaarts, door nauwe passen en onder indrukwekkende bergtoppen, richting Cathay. Ze zochten beschutting in holen en op overhangende richels en sloegen hun tenten op waar ze konden. De sneeuw vaagde vaak de sporen van de vorige dag uit en als de nevel neerdaalde was het voor de mannen bijna onmogelijk om hun positie te bepalen. Paolo plaatste elke avond bordjes die aanduidden welke kant ze de volgende ochtend op wilden, zekerde de tenten en zorgde ervoor dat hun bezittingen veilig waren.

De drie metgezellen stopten overal waar ze water aantroffen en de rivieren begonnen te verbreden ten gevolge van de winterregens. Ze zetten strikken om dieren te vangen en hielden zich in leven met rozijnen en gedroogde moerbeibessen en met het brood dat ze bakten en het water dat ze met zich meedroegen. Als de mannen honger hadden droomden ze van vlees – lam, kip, konijn, marmot en gazelle. Salek vertelde hun hoe kooplieden uit zijn dorp een schaap slachtten, vilden, in stukken hakten en langs de berghellingen omlaag tot in de dalen wierpen, in de hoop dat edelstenen aan het kleverige verse, bloederige vlees zouden blijven kleven.

Toen ze Cathay naderden werd de vegetatie weelderiger en kwamen ze bij een woud van bamboebomen, dat zich uitstrekte tot aan de horizon. Eindelijk was er overvloed, een weldaad aan groen, de mogelijkheid van de lente. Het bamboe boog diep onder het gewicht van de sneeuw en knapte even plotseling als een gebroken bot. De mannen kapten de eerste jonge scheuten en verhitten die met gekookte rijst, hun paarse knoesten als oud brokaat, het witte vruchtvlees met de kleur van parels. Als ze een rivier moesten oversteken maakten ze een vlot van bamboe en snoerden elke tak vast met hennep.

Toen ze eindelijk in Tun-huang arriveerden, ontdekten ze dat het in de straten wemelde van de kooplui, waterverkopers, muzikanten en zingende meisjes. Miemakers boden ontbijtdelicatessen aan die bestonden uit gans, gestoomde pannenkoekjes en geurige rijst. De vrouwen van de stad hingen wilgentakken boven hun deuren en bereidden pompoensoep, zwaluwnestjes gerookt met plakjes eend en rundvlees met gember, steranijs en kandij.

Salek sprak met een man die vuurwerk verkocht dat was vervaardigd van bamboestokjes gevuld met buskruit. Hij zei hun dat ze op tijd waren voor zijn vuurwerkdemonstratie en dat hij diezelfde avond de lucht in lichterlaaie zou zetten en de hemelen met vuur zou tarten.

Paolo had nog niet meegemaakt dat Jacopo zich in geen enkele andere omgeving ooit zo op zijn gemak had gevoeld. Voor hen bevond zich de Poort van Jade, die was gedecoreerd met uitgesneden leeuwen en glinsterde van een doorzichtig groen licht. Daarachter zag hij stapels sieraden op de markttafels van de kooplieden: sneeuwwit, smaragdgroen, lavendelblauw. Mannen waren met allerlei soorten messen, tredmolens, wetstenen en polijstaarde bezig de kostbare voorwerpen te maken die voor hen lagen: armbanden, ringen, amuletten, hangers en halskettingen; haarspelden versierd met parels als ogen die robijnen vlammen uitspuwden; jadeïeten bollen en picots zo groot als kanarie-eieren. Alles wat het leven bejubelt, het bestaan verfraait of de drager beschermt tegen het kwaad dat op hem loert. Paolo zag bergen van edelgesteente, wouden van agaat, rivieren van marmer en portretten van jaspis. De jade was zo zuiver dat de kooplieden geloofden dat zij het vlees voor verval kon behoeden, de doden kon doen herrijzen, de ongelovigen kon vellen en een geest kon beschermen op zijn reis naar het hiernamaals.

Jacopo bekeek een stuk ruwe steen en wilde graag weten wat er zou gebeuren als de steen zijn geheimen prijsgaf. 'Als de laag jade tweeënhalve centimeter dik is, kunnen zelfs onsterfelijken niet raden wat eronder schuilgaat.'

'Hoe lang blijven we hier?' vroeg Paolo.

'Je moet me helpen. Hiertussen liggen juwelen die minder waard zijn, vervalsingen, nepjuwelen. Ik moet elke steen vasthouden, wegen, bestuderen en zelfs proberen te markeren. En dan, als ik zeker ben, als ik de zaak grondig heb bezien, kunnen we handeldrijven en terugkeren.'

Een luide gong onderbrak het gesprek. De jadeverkopers pakten hun stalletjes in, vuurpijlen schoten omhoog en de stad veranderde in een festival van licht en warme gloed, voedsel en kabaal. Raderen van gekleurd Bengaals vuur draaiden in de verte rond. Raketten schoten de hemel in. Paolo zag hoe het vuurwerk werd weerspiegeld in het meer, hoe water en horizon een werden. Rookwolken barstten open in fonteinen van kleur die sproeiden, opspatten en met een knal tot leven kwamen. Hij had nog nooit zo'n kabaal gehoord, dat uithaalde naar de wind en het noodlot en de duisternis tartte.

'Huo yao tsa hsi,' zei een man, lachend en wijzend, terwijl hij trachtte uit te leggen wat er gebeurde. Hij dribbelde tussen de vuurwerkstukken heen en weer, ging op zijn hurken zitten en stak vuurpijlen af. Tevreden over zijn verrichtingen tuurde hij in de verte en omhoog. Hij vroeg het publiek op afstand te blijven, maar Salek spoorde Paolo aan van dichterbij te kijken naar de man die bezig was vlammen de lucht in te jagen. Het vuurwerk werd gereflecteerd in rondjes van kwarts voor zijn ogen die met een leren riempje rond zijn achterhoofd op hun plaats werden gehouden.

Paolo sloop naderbij. De man droeg een bril, maar deze verschilde van alle brillen die hij voorheen had gezien en hij leek hem een helder beeld van de nachtelijke hemel te verschaffen. Hij kon ermee in de verte kijken.

De volgende dag stond Paolo erop dat Salek informeerde waar het atelier van de vuurwerkmaker zich bevond. Als die man hem kon helpen, zou hij wellicht eindelijk in staat zijn het juiste perspectief te vinden. Het was zo lang geleden dat hij in Venetië zulke kijkglazen had geprobeerd dat hij bijna was vergeten wat een teleurstellende ervaring dat was geweest. Maar nu was hij vervuld van hoop. Een klaar blikveld zou hem eindelijk kunnen bevrijden van de frustraties van een schimmig bestaan, alsof hij van onder water in de scherpe helderheid van de dag aan de oppervlakte kwam.

Ze voegden zich bij de massa's mensen die 's ochtends naar de velden aan de rand van de stad togen en hielden stil bij een afgelegen groepje huizen, op grote afstand van alle andere gebouwen, die opgetrokken waren uit steen en gebakken klei. De gouverneur had verordonneerd dat vuurwerkmakers nog gevaarlijker waren dan bakkers of pottenbakkers en ver van alle andere bedrijven moesten worden gehouden. Hij wist hoe gemakkelijk het in een vuurzee kon ontaarden.

Paolo en Salek liepen onder een geestenpoort door en betraden een klein erf vol met stapels bamboe en kleine houten vaten die op verhoogde platforms keurig opgestapeld stonden. Door een halfgeopende deur zagen zij het silhouet van een man die op een lage brits, achter een kamerscherm van hout en rijstpapier, lag te slapen.

'Hij is waarschijnlijk dronken,' zei Salek. 'Laten we hem maar wat water brengen.'

'Waarom kan dat niet wachten?'

'Hij heeft de hele nacht doorgefeest. Maar als we hem iets te drinken brengen zal hij ons dankbaar zijn.'

Ze haalden wat water op het erf, droegen dat in een houten emmer naar de vuurwerkmaker toe en gingen toen naast hem zitten. Salek probeerde hem voorzichtig wakker te schudden, maar de man gromde alleen en draaide zich om.

Paolo zag de bril op een laag tafeltje liggen. In tegenstelling tot de hem bekende bolle glazen, waren deze het omgekeerde, gespleten kwarts, met gepolijste oppervlakken, dun in het midden en dik aan de randen. Hij stak zijn hand uit en pakte hem op, woog het gewicht in zijn hand, bestudeerde het leren en het benen bruggetje dat de twee lenzen met elkaar verbond. Toen hield hij hem voor zijn ogen. Voorwerpen in de kamer werden opeens duizelingwekkend scherp. Heldere vormen en ingewikkelde weefsels vertoonden zich voor de eerste maal duidelijk in een zich ontplooiend uitzicht. Lange bamboestokken die tegen de muur stonden; ijzeren instrumenten die op de werkbanken lagen; poeders en weegschalen, strijkers, vuurstenen en houtskool; al die voorwerpen zorgden nu dat hij deel uitmaakte van een compositie die Paolo hielp zich een vastere plaats in de wereld te verschaffen.

Salek schudde de slapende man nogmaals door elkaar. Hij bewoog en stak zijn arm uit naar de bril naast zijn bed en betastte het oppervlak van de tafel in een poging hem te vinden waar hij hem had achtergelaten.

Paolo had de bril nog steeds in zijn handen.

De man ging met gesloten ogen rechtop zitten en graaide nogmaals naar de bril. Zonder dat hulpmiddel zag hij geen hand voor ogen.

'Alsjeblieft,' zei Paolo.

De vuurwerkmaker maakte een verwarde indruk. Misschien was hij nog in dromenland. Hij zette zijn bril op, staarde zijn bezoekers verbaasd aan en vroeg wat ze op dit uur van de ochtend in zijn atelier te zoeken hadden. Toen doopte hij een beker in de emmer water en dronk die in één teug leeg. Hij vulde hem nogmaals, doopte zijn vingers erin, stak die achter de brillenglazen en wreef de slaap uit zijn ogen.

'Zijn jullie hier omdat jullie willen weten wat mijn geheim is?'

'Inderdaad.'

'Dat deel ik met niemand. Mijn waren zijn te koop, maar de recepten zijn heilig en stammen uit de oudheid.'

'Het gaat ons niet om het vuurwerk,' zei Salek.

'Waarom zijn jullie dan hier?'

'Ik wil weten hoe ik aan de lenzen kan komen die u gebruikt, het kwarts dat u voor uw ogen bindt,' zei Paolo.

De vuurwerkmaker glimlachte en wees op zijn bril.

'Die heb ik zelf gemaakt.'

'U schijnt ermee in de verte te kunnen kijken. Ik heb u gadegeslagen. U kon zowel de hemel als het vuurwerk goed zien.'

'Ja, hiermee zie ik evengoed als ieder ander.'

'Kunt u me laten zien hoe u hem vervaardigt?'

De vuurwerkmaker keek Paolo aan alsof hij wilde vaststellen of hij zijn geheim waardig was. 'Wat heb je over voor zo'n gezichtsvermogen?'

'Bijna alles wat ik bezit.'

'Bijna?'

'Edelgesteente. Juwelen. Goederen. Geld.'

'Maar als ik er een voor je maak en je daardoor de wereld anders ziet, bevalt die je misschien niet eens.'

'Ik wil hem helder kunnen zien.'

'En je weet zeker dat je de eventuele gevolgen daarvan aanvaardt?'

'Daar kan ik me niets bij voorstellen, maar ik ben bereid het risico te nemen en de prijs te betalen die u passend lijkt.'

'Kom dan maar mee,' zei de man plotseling.

In de werkplaats stond een groep mannen rond lage werkbanken Romeinse kaarsen en raketten te maken. Ze vervaardigen grote vuurpijlen die met een kruisboog de lucht in konden worden geschoten, gifgroene rookgranaten, vuurregens, rotjes, voetzoekers, waterbommen en papieren zakken gevuld met ongebluste kalk en zwavel, die explodeerden als ze met water in aanraking kwamen. De vuurwerkmaker toonden Paolo zevenklappers en girandoles, vervaarlijke vuurpotten, militaire raketten met ijzeren koppen en zelfs een mand met explosieve eieren. Hij vertelde hun hoe hij de hemel in vuur en vlam kon zetten, blauwe rook kon maken met wede, paarse vlammen met indigo, rode vlammen met vermiljoen en gele met behulp van saffraan en zwavel.

Salek hield zich op de achtergrond, keek toe hoe de arbeiders lange bamboestokken sneden, gaten in de zijkanten boorden en ze van onderen versterkten met metalen hulzen en vervolgens elk deel volstopten met explosieven.

De vuurwerkmaker ging Paolo voor achter een geel gordijn naar een kamer die baadde in het licht: het tegenovergestelde van alles wat ze even eerder hadden gezien. Deze tweede werkplaats gloeide van een honingachtig licht en op elke tafel lagen linzevormige lenzen van beril en kwarts, geslepen in diverse maten en vormen, die alle het licht in watervallen van gespiegelde reflectie door de kamer verspreidden.

'Hier help ik mensen beter te zien,' zei de vuurwerkmaker, waarna hij een buiging maakte. 'Ik ben Chen.'

'Paolo.'

Chen verzocht zijn gast op een kleedje voor een open raam plaats te nemen. Toen legde hij een serie lenzen in verschillende dikten klaar op een schaaltje. Hij hield die lenzen voor Paolo's ogen en vroeg zijn patiënt de vertekeningen te beschrijven die hij in het venster en aan de horizon in de verte waarnam. In het uiterste geval was het net alsof hij de wereld bezag door de hals van een parfumflesje. Met vallen en opstaan begon Chen langzamerhand de lenzen die Paolo niet hielpen beter te zien te elimineren; eerst het linkeroog en toen het rechter, ze moesten beide afzonderlijk worden onderzocht om het scherpste zicht te verwerven. Soms had Paolo het gevoel dat hij door een tunnel keek, en werden de spullen in de werkplaats merkwaardig onthecht en bedreigend, als in een droom; zijn hoofd deed pijn van de verwarring toen hij probeerde zich te heroriënteren. Bij sommige lenzen moest hij zijn uiterste best doen om zelfs maar iets te kunnen onderscheiden. De inspanning deed hem duizelen.

Chen dook reusachtig voor zijn neus op toen hij elk deeltje van Paolo's ogen inspecteerde, zijn pupillen bestudeerde door de huid onder zijn ogen voorzichtig omlaag te duwen en hem te vragen beurtelings omhoog naar de hemelen, omlaag naar de grond en opzij naar de beide randen van de wereld te kijken. Paolo had nog nooit iemand zo duidelijk in zijn ogen gekeken. Ze hadden de kleur van hazelnoot.

Chen hield vlak voor Paolo's ogen een kaars omhoog en vroeg hem die met zijn ogen te volgen terwijl hij hem van links naar rechts bewoog. Zijn adem rook naar rijstwijn en hij ademde moeizaam, alsof zijn bezigheden hem uitputten.

'Doe je linkeroog dicht.' Hij hield een amandelvormig stuk kwarts omhoog. 'Kijk hier eens doorheen.'

'Het is mistig. Donker.'

'Kun je zelfs door deze steen beter in de verte zien?'

'Nee.'

'Als de lens niet volledig is geslepen, krijg je een vertekend beeld. Probeer deze eens.'

'Die is beter.'

'En het andere oog?'

'Nee. Probeer eens een andere.'

Chen hield een stuk beril voor zijn linkeroog. 'Ik moet de vorm van de steen en de kromming ervan controleren. Kun je met deze beter zien?'

'Ik weet het niet goed. Ik weet niet of mijn gezichtsvermogen ooit zo sterk zal verbeteren als het uwe.'

'Zie je die heldere steen die wordt gebruikt om dingen van nabij te vergroten? Kijk er eens doorheen. Draai hem rond in je hand. Houd hem tussen jouw oog en mijn oog.'

Paolo experimenteerde nogmaals met de afstand en zag hoe Chens ogen groter en weer kleiner werden.

'Hij is bol. Met een kromming naar buiten. Net als je ogen. Daarmee zie je voorwerpen van dichtbij te duidelijk, terwijl alles verderop vaag is. De bergen zijn groot, misschien groter dan in werkelijkheid, maar ze zijn ook in nevelen gehuld. Alles is ver weg. Dat is misschien de reden waarom je reizen zo lang duren. Je wilt de top van de berg bereiken maar je reikt altijd naar het onbereikbare, alsof je naar een regenboog toe rent voordat die vervaagt. Het blijft altijd een vlek. Je woont in een landschap waar niets in zijn context kan worden bekeken. Zodra je je realiseert waar je je bevindt, ben je te dichtbij om te zien wat die plek te bieden heeft.'

'En de wereld buigt...'

'De wereld buigt zich om je heen omdat je ogen zelf te veel kromming hebben. Nu moeten we een lens maken die deze vervorming corrigeert.'

'Maar als ik kwarts voor je ogen houd verandert alles in melk.'

'We moeten dit kwarts polijsten en een lens slijpen die tweezijdig concaaf is, dik aan de randen en dun in het midden. Maar we moeten ervoor oppassen dat we het tere midden dat het licht in jouw voordeel buigt niet doen breken of barsten.'

Hij pakte twee lenzen van kwarts. Toen begon hij die beide met een rondgaande beweging te slijpen, ze van binnenuit uit te hollen en het oppervlak te polijsten tot een kromming die overeenkwam met de slijpsteen. Hij keerde de lenzen voortdurend om, bestudeerde beide kanten en polijstte ze in vorm met behulp van een mengsel van poeder en amaril, waarbij hij het kwarts met kleine tussenpozen tegen het licht hield om de doorzichtigheid te controleren, waarna hij zijn werk in opperste concentratie voortzette om te voorkomen dat het kwarts zou breken of barsten.

'Kom mee naar buiten, zodat we wat duidelijker in de verte kunnen kijken.'

De lucht was fris en klaar, de hemel kobaltblauw. Chen hield een lens voor het rechteroog en de berg in de verte kwam onmiddellijk scherp in beeld. Paolo meende een groepje vrouwen te onderscheiden dat bij de rivier stoffen aan het verven was; maar de voorwerpen dichtbij waren vaag, alsof zijn gezichtsvermogen was omgekeerd.

'Wacht. Ik moet de kromming van de rechterlens nog aanpassen en de voorkant van de linker polijsten.'

Paolo had het gevoel dat zijn zojuist gevonden gezichtsvermogen van hem werd afgenomen. 'Hoe lang duurt dat?'

'Niet lang.'

Chen ging weer naar binnen en legde de laatste hand aan de lensoppervlakken. Hij sleep ze en corrigeerde hun kromming, die hij vervolgens controleerde met behulp van een serie gebogen houten sjablonen op zijn werktafel.

'Waarom is dat zo moeilijk?' vroeg Paolo.

'Bolle vormen vind je overal in de natuur terug, zoals in waterdruppels op een blad, in een traan of in kiezels die door wind, water en regen geërodeerd zijn. Die zijn solide, sterk en natuurlijk. Maar hier gaan we tegen de natuur in. Dit is onstabiel, dun in het midden, gemakkelijk breekbaar. Het bergkristal kan breken. We moeten maar hopen dat we geluk hebben en dat we voor jou de juiste kromming kunnen vinden en een lens kunnen slijpen die je gezichtsvermogen afdoende corrigeert.'

Hij bleef met cirkelende bewegingen de beide lenzen poetsen en eindelijk begon het kristal zich, het licht glinsterend weerspiegelend, te vertonen.

Chen hield de lenzen afzonderlijk omhoog en controleerde hun helderheid. Toen nam Paolo beide voorzichtig in zijn handen en hield ze voor zijn ogen. De voorheen zo vage wereld vertoonde zich plotseling in al zijn scherpte. Hij kon Chen in de ogen kijken, hem observeren, zijn hoopvolle glimlach registreren.

'Ja, deze.'

'Laat me ze dan eerst even monteren.'

Chen pakte een stukje ijzer met een scherpe punt en boorde aan beide zijden van de amandelvormige lenzen een gaatje. Toen haalde hij door de twee binnenste gaatjes een stukje leer in een metalen beugeltje om als neusbrug te dienen. Hij pakte een passer en mat de omtrek van Paolo's hoofd, waarna hij een tweede reep leer op maat afknipte en ten slotte de lenzen met een knoopje op zijn achterhoofd voor zijn ogen bond.

Paolo testte de lenzen, bracht ze voor zijn ogen in precies de geëigende positie en trachtte ze een zo comfortabel mogelijk plekje te geven, waarbij hij voor zijn ogen de spiralen van zijn vingerafdrukken kon onderscheiden. Hij knipperde met zijn ogen en begon zijn gezichtsvermogen aan te passen en in de verte te turen, alsof hij in twee verschillende werelden leefde: eentje vlakbij en de andere in de verte.

Ze liepen de straat op en Paolo kon tot heel in de verte de groene, rode en witte lantaarns onderscheiden die boven de deuropeningen van alle winkels hingen. Ze wiegden zachtjes in het briesje tegen de geborduurde of met jade bezette kralengordijnen, maar nu zag hij elke lantaarn, in plaats van door melkglas, in zijn geheel, zich duidelijk aftekenend, de een los van de ander. Er waren lantaarns die rondtolden, aangedreven door een dun straaltje water; andere die de vorm hadden van een boot of een draak, met paarden en ruiters, of als met goud, zilver, parels en jade gedecoreerde goden en godinnen.

Hij keek nogmaals naar Chen, die nu heel dicht bij hem, al te groot, voor hem oprees, de rimpels in zijn voorhoofd even duidelijk zichtbaar alsof ze niet enkele meters maar slechts enkele centimeters van elkaar verwijderd stonden. Hij haalde de bril weg voor zijn ogen en hield hem er vervolgens weer voor om de plotselinge overdaad aan licht te testen.

Voor het eerst in zijn leven kon Paolo de dikte van de wolken, hun diepte, hun details en hun structuur zien. Hij voelde zich door beelden overmand en verloor bijna zijn evenwicht bij het zien van de nieuwe wereld rondom hem. Zijn zicht was zo scherp geworden dat alles wat hij zag een geconcentreerde klaarheid had verworven.

Hij probeerde te lopen, doch voelde zich gedesoriënteerd, alsof hij zojuist van een schip in een vreemd land aan wal was gegaan. Voorwerpen leken op hem af te schieten. Ze kwamen zo dichtbij en met zo'n grote snelheid dat hij er hoofdpijn van kreeg en de helderheid van de wereld pijn aan zijn ogen begon te doen. Schrijvers en acrobaten, waarzeggers, astrologen, toekomstvoorspellers, profeten en helderzienden dromden voorbij. Ze liepen sneller, kwamen sneller in beeld en waren ook weer sneller verdwenen. De wereld had opeens meer vaart gekregen.

Was dit hoe Aisja alles zag?

Hij liep weg, langs de looierijen en zag de volle, saffrane, scharlaken, munten en antimone verfstoffen van de vrouwen die met hun gekleurde armen felkleurige lappen voor hun ramen hingen als beschutting tegen de zon en het felle licht. Een gespierde man met ontblote borst en gevlekte armen trok lappen met indigo geverfd katoen uit een kuil in de grond. Hij spoelde de stof uit waardoor het water donker en felblauw kleurde. De vlek volgde de aderen op zijn armen. Paolo had nog nooit eerder het bloed onder de huid van een andere man gezien.

Hij zag hoe de vrouwen zijde sponnen, weefden en rupsen kweekten. Hij zag voor het eerst van zijn leven de draden die uit de monden van de zijderups hingen, de witte kringen bij de borst en het kopje, de drieledige uitlopers van hun staarten.

Nu kon hij de letters op de votiefstroken lezen die aan de bomen hingen boven een pottenbakker die bezig was een serie kommen te glazuren. Hij wachtte en keek naar de transformatie toen het kobaltglazuur een vol en diep blauw werd. Hij zag de potten afkoelen in het zand en tuurde door het kijkgaatje naar de oranje gloed van de oven terwijl de pottenbakker wachtte tot het glazuur dezelfde gouden schittering had als het zonlicht op de sneeuw.

De rook en de hitte van de pottenbakkerijen bereikte zijn ogen, die nu begonnen te tranen. Een marskramer bood hem warm water aan en Paolo zette zijn bril af. Hij schepte het water met zijn hand uit de schaal en voelde hoe de natte warmte zijn ogen reinigde en genas. Hij greep een doek en bette zijn ogen droog. Toen hij ze opnieuw opende, hingen de druppels nog aan zijn oogleden en was zijn blik verwaterd. Hij knipperde tegen het licht. En toen, toen hij weer zonder bril kon zien, zag hij dat de aarde zijn oude benevelde toestand weer had aangenomen.

Al die jaren was zijn blik omfloerst geweest.

Hij zette opnieuw de bril op. Het duizelde hem van opwinding toen hij de talloze nieuwe mogelijkheden die in het verschiet lagen besefte. Tegelijkertijd werd de wereld bedreigend, door de voorwerpen die in zijn gezichtsveld opdoken, goed en kwaad, zonder enig onderscheid, scherp omlijnd voor zijn ogen als een plotseling en helder beeld van de dood.

En de stad was ook luidruchtiger geworden. De kreten van kinderen, het geblaf van honden en het gekrijs op het marktplein zwollen aan uit alle richtingen: voor hem, achter hem, van alle kanten, boven en onder hem. De geluiden ontmoetten elkaar in Paolo, doorkruisten hem en weerkaatsten tegen de muren om hem opnieuw met hun galm te treffen, echo op echo, zodat hij niet langer zeker wist welke kant hij op liep. Het kabaal was oorverdovend geworden. Hij moest terug naar de vuurwerkmaker, hem spreken en vragen het hem uit te leggen. Was de wereld zo scherp omlijnd en contrastrijk bedoeld; of huisde er een of andere duistere magie in?

'Wat denk je zelf?' vroeg Chen.

'Het is te veel,' antwoordde Paolo. 'Ik voel me net een blindeman die het gezichtsvermogen is verleend...'

'Als ze te sterk zijn...'

'Laat me er een tijdje mee rondlopen,' antwoordde Paolo. 'Dan zal ik kijken of ik eraan gewend raak...'

'Dat zal enige tijd vergen...'

'Ik ben nu twee personen: een die kan zien en een die dat niet kan.'

'Dan zul je moeten beslissen welke persoon je wenst te zijn,' zei Chen. 'Een klare blik is zowel pijnlijk als verhelderend. Hoe verder wij in de verte kunnen kijken, des te beter begrijpen wij onze beperkingen.'

Salek en Jacopo maakten zich vrolijk over Paolo's zojuist gevonden gezichtsvermogen en vierden dat heuglijke feit met de aankoop van drie vliegers die ze oplieten vanaf een heuvel aan de rand van de stad.

Paolo keek hoe het papier zich tegen de hemel aftekende, een grote golf van rood tegen blauw, en voelde eindelijk iets van hoop. Hij verlangde naar huis om zijn ouders te tonen dat hij zien kon. Hij wilde het Simone vertellen, niet alleen om hem het gesteente te geven waarmee hij het eeuwige leven kon schilderen, maar ook om hem uit te leggen wat het betekende. Want nu wist hij, bij elk vergezicht dat zich aan hem openbaarde, bij elk gevoel voor afstand, wat het zou kunnen betekenen om ruimte te schilderen, om je een voorstelling te maken van oneindigheid.

'We zullen in elk geval geen dieren meer kwijtraken,' zei Salek. 'Je kunt nu het verschil tussen kamelen en rotsblokken zien.'

'Ik kan alles zien. Zelfs of jullie me in de maling nemen. Voorheen moest ik raden wanneer u het ernstig meende en wanneer niet. Nu kan ik het aan uw gezicht aflezen.'

'We nemen je nooit in de maling. Wij zijn je vrienden,' zei Jacopo.

'Daar ben ik nog niet zo zeker van.'

'Soms,' zei Salek, 'heb ik de indruk dat je ondankbaar bent. Wij hebben je de wereld getoond. Nu kun je haar helder en duidelijk zien.'

'Ik weet niet of ik dat altijd wil. Ze is zo scherp omlijnd, zo luisterrijk. Soms zou ik het liefst mijn ogen sluiten en al dat felle licht aan me voorbij laten gaan.'

'Je zult nog tijd te over hebben om je ogen te sluiten,' zei Jacopo.

'Eén dag,' zei Paolo met een glimlach, 'het zou prettig zijn om nu eens één dag niet aan de dood te worden herinnerd. Jullie hebben me onderricht en jullie hebben me goed onderricht. Ik heb mijn lesje geleerd en dat hoeft niet te worden herhaald. Dus misschien zouden jullie kunnen ophouden, elke keer dat we over onze levens spreken, op de dood te zinspelen. Of is dat te veel gevraagd? Denken jullie dat jullie dat zal lukken? Al is het maar voor één dagje?'

'Ik denk het niet,' zei Salek.

'Uitgesloten,' beaamde Jacopo.

ꕥ

De paar daaropvolgende dagen begonnen Paolo's vroegste twijfels en onzekerheden post te vatten. In weerwil van de scherpte en de helderheid zag hij in alles om hem heen ook tekortkomingen en verval. Hij zag hoe gerimpeld een voorhoofd kon zijn en hoe snel een mens verouderde. Hij zag kwalen, blaren, wonden en ellende. Voor het eerst in zijn leven zag hij dat er onder de bundeltjes lompen die langs de weg lagen en door iedereen werden genegeerd mensen schuilgingen. Hij kon hen duidelijk zien, hun armen uitgestrekt, hun gezichten vertrokken van pijn. Misschien had God hem bijziendheid geschonken om hem tegen zoveel schrijnende klaarheid te beschermen; en waren de lenzen, hoe je het ook bekeek, een aberratie, een loochening van het goddelijke ontwerp voor zijn leven. Paolo voelde zich als een man die alle rijkdommen van de wereld in de schoot geworpen heeft gekregen en alleen nog maar terugverlangt naar zijn armoede.

Hij sprak met klanten van Chen. Mensen die in de mening verkeerden dat ze nooit meer zouden zien: een man die voor zijn dood wilde zien hoe zijn zoon nog een keertje vliegerde; een sterrenkundige die zijn broer wilde leren te zien wat hij zelf zag, om de hemelen in kaart te brengen, om de goddelijkheid van de schepping te begrijpen. Er was een edelman die een bril voor zijn paard verlangde, en een dame die ervan overtuigd was dat zo'n hulpmiddel haar kat zou helpen meer muizen te vangen. Een andere man kwam omdat hij de courtisanes van de stad wilde bespioneren en Chen vroeg of hij een lens kon maken waarmee hij zonder te betalen door hun kleren heen kon kijken; terwijl er een vrouw was die een bril kocht voor haar echtgenoot om hem bewust te maken van de tekortkomingen van vrouwen die hij had willen verleiden.

Er was echter ook nog één andere man die klaagde dat hij te scherp zag. Hij vroeg om een bril die zijn gezichtsvermogen vertroebelde zodat hij grote afstanden niet zo goed meer kon onderscheiden. Hij wilde in een beslotenere, kleinere wereld leven: met omfloerste blik leven, zoals Paolo al die tijd had gedaan.

Chen zei tegen Paolo dat hij maar het beste een dag en een nacht lang naar de hemel kon kijken om zijn ogen tot rust te laten komen en zijn gedachten te ordenen. Als hij schoonheid wilde zien, diende hij altijd omhoog te kijken.

'Stel je voor dat de hemel de oogbal van onze schepper is,' zei Chen, 'bollend in zijn oogkas op ons neerkijkend.'

Paolo diende de wolken te bestuderen en na te gaan hoe de kleur van de hemelen veranderde van dageraad tot dag en van avondschemering tot nacht en de gedachten over de zwakheid en de ijdelheid van de mens verjoeg. Je blik ten hemel heffen betekende je plaats in het universum kennen: het licht van de ondergaande zon boven de bergen was het aureool van Boeddha.

Paolo keek naar de sterren en naar de kleur van de nachtelijke hemel door al zijn wolken en helderheid en wilde Aisja vertellen dat hij nu evengoed kon zien als zij. Hij zag de maan die zich als een verlichte sikkel aftekende tegen een donkerder uitspansel. Voorheen was het altijd een witte vlek geweest. Nu kon hij haar donkere vlakten en verre kraters onderscheiden.

Toen hij terugkeerde vertelde hij Chen dat de wereld uitsluitend diende om hem te herinneren aan het leed dat erop werd geleden, de liefde die hij had prijsgegeven, en de futiliteit van zijn eigen bestaan.

'Het spijt me dat je er zo over denkt.'

'Het spijt me dat ik het zo voel. Wat moet ik beginnen?'

'Als de hemel je geen troost biedt, dan moet je mijn vader een bezoek brengen.'

'Zal hij me kunnen helpen?'

'Hij is een heilig man. Hij spreekt niet altijd. Maar hij weet van het leed van de wereld. Daarom heeft hij zich eruit teruggetrokken.'

'Maar ziet hij de wereld met heldere ogen? Met al haar tekortkomingen, en weet hij toch hoe het is om erin te leven? Gelooft hij dat er een doel mee wordt gediend, zelfs als er buiten dit leven niets bestaat?'

'Dat is zijn enige zorg, zijn dagelijkse hoop,' antwoordde Chen. Het was de achtste dag van de vierde maan. Als je ze door een bos olmen en populieren naderde, lagen de grotten van Ch'ien-fo-tung in het zuidoosten op een steile helling van het Altyn Tagh-gebergte. Aan de klippen hingen van teksten voorziene zijden banieren tientallen meters omlaag tot op de grond. Een honingraat van rotstempels bewees eer aan de droom van Lo-tsun, een monnik die ooit een visioen had gehad van duizend boeddha's in een wolk van luister.

De hoofdlama was een kleine man die religieuze overtuiging

paarde aan een argwanende grondhouding, alsof hij veel meer vertrouwen stelde in het hiernamaals dan in het aardse bestaan. Hij vroeg Paolo of hij kwam om handel te drijven of op zoek was naar inzicht. In het eerste geval had hij behoefte aan kaarsen, lampenolie, kleine metalen kopjes en kommetjes; in het laatste geval hoefde hij niet verder te zoeken.

De grotten strekten zich uit in duisternis, elke grot verlicht door een aantal kleine vlammetjes. Hier maakten mensen zich klaar om de ladder op te gaan, in de boom te klimmen, de levensgevaarlijke brug over te steken, de rivier te doorwaden of tegen de berg op te klauteren naar de hemelse vuurgloed. Sommige monniken maakten beelden: eerst van stro, dat ze vervolgens bedekten met klei voor ze het bakten, glazuurden en opnieuw bakten. Anderen bekeken de schilderingen op de donkere muren: Avalokitesvara met elf hoofden en duizend armen, demonen met hanenkoppen op pothi-bladeren, de lotusvijver van het paradijs, of taferelen uit het leven van de Boeddha. Pelgrims staken zilveren lampen aan bij heiligdommen, wier licht het duister van de lucht doorkliefde. Reizigers droegen gewijde teksten voor, brachten offers en brandden wierook of baden om bescherming terwijl ze begonnen aan hun reis langs de zijderoute of ze bedankten de goden voor hun behouden terugkeer.

Chens vader mediteerde.

Hij was een lange man met een kaalgeschoren hoofd en een gezichtsuitdrukking die eerder vastberaden dan sereen kon worden genoemd. Hij droeg een geel gewaad en zat volmaakt bewegingloos, zijn gekromde voeten achterovergebogen in de lotushouding. Zijn kracht en vitaliteit wekten de indruk dat hij ooit een krijger was geweest.

Chen en Paolo gingen zitten en keken toe.

Er ging een uur voorbij.

Paolo bekeek elk hoofd en elke arm van het schilderij van Avalokitesvara op de wand van de grot; hij probeerde te analyseren wat ieder detail anders maakte, doch vond eigenlijk dat ze allemaal gelijk leken.

Er ging nogmaals een uur voorbij.

Hij vroeg zich af hoe het zou zijn om rond te lopen met elf hoofden. Had één hoofd de leiding over de andere tien of waren ze gelijkwaardig? Waren er elf geesten met verschillende taken en verantwoordelijkheden? En hoe zou het zijn om duizend armen met je mee te dragen als je liep? Dan moesten er vijfhonderd aan elke kant van je lichaam zitten. Paolo bedacht dat voortplanting ook problemen moest opleveren maar hij vermoedde dat de goden het niveau van zulke lustgevoelens waren ontstegen. Toch zou er heel wat gegrabbel en gegraai aan te pas komen als het ooit zou gebeuren, nog afgezien van dat gedoe met die elf hoofden.

Paolo luisterde naar de ademhaling van de monnik. Die was oppervlakkig, nauwelijks waarneembaar, waarbij hij langdurig inademde en traag uitademde. De drie mannen zaten zwijgend bij elkaar. Toen Paolo het niet langer kon verdragen vroeg hij Chen of er ooit nog iets te gebeuren stond.

'Zij die spreken weten niets; zij die weten zwijgen.'

Eindelijk opende de vader zijn ogen, hoewel hij recht vooruit bleef staren.

Paolo realiseerde zich dat dit de enige gebeurtenis van enig belang was die zich in de afgelopen uren had voorgedaan.

'Dit is Paolo,' zei Chen ten slotte.

De monnik wendde zijn hoofd, knikte en bleef zwijgen. Misschien was hij nog steeds in trance.

'Ik zit met een probleem,' zei Paolo op gedempte toon. 'Nu dat ik een bril heb, zie ik de wereld te scherp.'

Eindelijk gaf Chens vader antwoord. 'En wat zie je dan wel?'

Paolo wachtte even en vroeg zich af wat hij nu eigenlijk zag. De rij rimpels op het midden van het voorhoofd van de monnik. Zijn kleine bruine ogen. Het saffraangeel van zijn gewaad. De bloem die dreef in de schaal met water voor hem. Hij wendde zijn blik af en keek naar een bamboebosje verderop.

'Ik zie alle bladeren van alle bomen.'

De monnik knikte, alsof hij het begreep; maar hoe kon hij weten wat er in Paolo omging? Hoe kon hij leven zoals Paolo leefde?

‘Neem dan de tijd om ze te bestuderen.’
‘Elk blad afzonderlijk?’
‘Elk blad afzonderlijk. Of één enkel blad. Van het voorjaar en de gehele zomer door. Zijn ontluiken en zijn levenssap, het groenen en het verdorren. In één jaar zul je alle jaren begrijpen.’
Hij had inmiddels al een nacht lang gekeken hoe de hemel verduisterde en toen weer licht werd. ‘Wilt u dat ik een jaar lang naar een blad ga zitten kijken?’
‘Ik heb niets te willen. Ik heb geen wensen of verlangens. Jij bent degene die het moet willen: zoals het blad moet groeien en dan verdorren, zo moet jij dat ook.’
‘Dat is wel een heel lange tijd.’
‘Bodhidharma, een van onze voorvaderen, heeft negen jaar lang tegenover een muur zitten mediteren. Grote dingen openbaren zich in de kleine. Je zult het blad nog dankbaar zijn.’
‘En als ik daar niet toe in staat ben?’
‘Kom maar weer bij me langs als je kunt.’

De daaropvolgende paar dagen probeerde Paolo het advies van de monnik te negeren, maar hij merkte dat hij er niet in slaagde die gedachte uit zijn hoofd te bannen. Hij moest zo’n experiment ondernemen, hoe absurd het ook leek. Misschien zou hij stilstaande meer opsteken dan hij bij al zijn reizen ooit had opgestoken.
Zijn enige fout was dat hij het aan Salek en Jacopo vertelde.
‘Ik begrijp het niet,’ zei Jacopo. ‘Eerst wil je bij die vrouw blijven. Nu wil je weer met een blad samenwonen.’
‘Hoe kom je zo ooit nog thuis?’ vroeg Salek.
‘Ik kom zodra ik daar klaar voor ben,’ antwoordde Paolo.
‘Dan kijken wij nieuwsgierig uit naar een verslag van je ervaringen,’ zei Jacopo met een glimlach. ‘Misschien heeft het blad wel zin om je op onze terugreis te vergezellen? Ik voorzie heel wat filosofische gesprekken, zowel met het blad, als, uiteraard, erover.’

Paolo trok erop uit naar een kersenboom aan het einde van een lange laan aan de rand van de stad. De grond was vochtig van de dauw. Hij probeerde in de lotushouding te gaan zitten, net zoals de monnik had gezeten, maar kreeg zijn benen niet precies in de juiste stand. Zijn lichaam had nog nooit zo houterig geleken, alsof zijn ledematen te lang waren. Eigenlijk kon hij geen enkele houding vinden waarin hij in staat was zich te ontspannen en te concentreren. Hij probeerde op zijn zij te liggen, maar dan voelde de grond nog harder aan. Het begon aardig koud te worden en hij constateerde dat hij aan niets anders kon denken dan aan de vochtige aarde onder hem.

'Om,' zei hij op halfslachtige toon.

Er gebeurde niets.

'Om, Om, Om, Om.'

Hij vroeg zich af of hij deze activiteit moest staken, maar om nu, al zo snel, terug te keren, betekende dat hij zich gewonnen zou geven, en de spot van Jacopo of het hoongelach van Salek zou hij niet kunnen verdragen.

Er ging een uur voorbij voordat hij besloot op zijn rug te gaan liggen en omhoog te kijken naar de boom en het licht dat tussen de bladeren door scheen.

Hij verbaasde zich over de onderlinge verschillen tussen de bladeren. Op welk blad zou hij zijn concentratie richten? Wellicht was dat de boodschap van de monnik: dat hij te midden van zovelen zijn eigen leven moest zien te vinden.

Hij keek naar een tak die al knoestig was van ouderdom.

Een lichtgroen blad, lichter dan jade, genesteld onder een stukje bloesem.

Hij vroeg zich af of hij wellicht niet tot mediteren in staat was omdat hij bang was wat hij zou ontdekken. Misschien was dat de reden dat hij nooit lang genoeg stil was blijven staan om dieper na te denken over de betekenis van zijn leven en waar het toe zou kunnen leiden.

Er stond een licht briesje en de boom begon te wiegen in de wind. Een zwerm kraanvogels vloog laag boven de einder.

Paolo keek hoe het blad zich vastklampte aan de boom. Zou

het verzwakken in de wind of verdorren in de zon? Zou het de regen weerstaan? Hoe zou het zichzelf voeden?

Hij wilde naar de stam van de boom kijken en voelen hoe het levenssap oprees en de boom zich vanuit de aarde voedde, maar hij wilde zijn blik niet afwenden van het blad. Hij vroeg zich af of hij honger of dorst behoorde te voelen en toen, terwijl hij naar het blad staarde, begon hij het bewustzijn van zijn eigen lichaam, van het vocht en het ongemak, te verliezen.

Ik zou hier eeuwig kunnen blijven liggen, dacht hij.

Hij begon zich te concentreren op zijn eigen ademhaling. Hij probeerde zijn hartslag te vertragen en zich bewust te worden van zijn adem, om zodoende het blad in leven te houden. Met elke gestage en regelmatige ademtocht ging zijn hart uit naar het blad.

Zijn adem. En het blad.

Nu leefde hij uitsluitend in het moment. Hij bevond zich buiten geheugen en tijd. Als de dromen terugkeerden dan keerden ze maar terug. En als de dood kwam, dan kwam hij maar.

Nu wilde hij op een andere manier naar het blad kijken en de kromming van de zijkant, zijn rimpeling en zijn structuur, de spitsheid van zijn punt beter bekijken.

Hij stond op en strekte zijn hand uit naar het blad en trok het naar zich toe zodat hij het nader kon bezien.

De tak boog door en kraakte zachtjes toen Paolo het donkergroene patina op het oppervlak bestudeerde. Zou hij het aanraken en de broosheid met zijn vingers betasten? Of moest hij zijn kracht beproeven? Hoe hard zou hij moeten trekken om het blad te scheiden van de boom? Hoelang zou het duren voor het blad zou zijn gestorven?

Of, als hij de natuur zijn loop zou laten, hoelang zou hij dan moeten wachten alvorens het blad uit eigen beweging zou vallen? Hoe bruin zou het dan zijn geworden? Of hoe geel?

Toen het begon te schemeren stak hij zijn hand uit en hield het voorzichtig tussen zijn vingers. Hij keek naar de brede bladschijf, naar de sprietachtige bladstengel en naar de nerven. Hij liet zijn vinger glijden over de rand en vroeg zich af of die scherp genoeg was om zich aan te kunnen snijden. Toen tilde hij de tak hoog boven zijn hoofd en keek naar het licht van de sterren en de maan tussen de wolken. In de verte hoorde hij het gelach en het vuurwerk van de stad, kreten in de nacht, vuurpijlen en voetzoekers.

En daar stond hij dus, drie dagen en nachten lang. Soms was hij zich ervan bewust dat er mensen waren komen kijken naar de man en het blad, maar hij draaide zich niet om om hen te begroeten of kenbaar te maken dat hij zich bewust was van hun aanwezigheid. Mensen die het beste met hem voor hadden lieten kommetjes rijst en kopjes water achter maar het eten en drinken lokten hem niet. Het enige waaraan hij behoefte had was het blad vasthouden, elke porie ervan te bestuderen, het patina tussen zijn vingers te strelen, de sterkte van zijn stengel te beproeven en te zien hoe het verouderde.

Was de vergankelijkheid van het blad zijn leven of een beeld van schoonheid in een ogenblik gevangen, een glimp van de volmaaktheid van de hemel? Nu begreep hij waarom hij eropuit was gestuurd om over deze dingen na te denken en dat ze beide tegelijkertijd belachelijk en waar waren.

Op de vierde dag besloot hij dat hij klaar was om los te laten.

Hij wist niet waarom hij deze dag had uitgekozen. Misschien had de dag hem wel gekozen. Hij trok zijn hand terug en, bijna onmiddellijk, viel het blad, zachtjes door de lucht dwarrelend, omlaag op het gras.

Toen het op de grond lag keek hij er nog een uur naar.

Toen raapte hij het op en nam het mee naar de monnik.

ꙮ

In de grotten begroette K'otan, de opperpriester, de pelgrims met de afbeelding van de Amitabha Boeddha.

'Hij die een beroep doet op de Boeddha door middel van meditatie en door gedrag en ascese wil toetreden tot het Zuivere Rijk, dient eerst zijn heilige beeld op een reine plek te plaatsen, met een gepaste hoeveelheid parfums en bloemen als offerande.

Raakt hij in aanwezigheid van de heilige, laat hem dan met gerust hart de handen vouwen, alle afleiding buitensluiten en zijn wil volledig richten op de taak van het noemen van Amitabha's naam, van het tonen van deemoed en te zeggen: *Gezegend zij Amitabha Boeddha van de Provincie Sukhavati, schepper van de achtenveertig geloften, de Grote Genadige, de Grote Erbarmer...'*

Hoewel Paolo Chens vader wilde raadplegen, zag hij dat zijn weg door de pelgrims was versperd.

'Herhaal dit tienmaal,' gelastte K'otan. '*Gezegend zij Amitabha Boeddha van de Provincie Sukhavati, schepper van de achtenveertig geloften, de Grote Genadige, de Grote Erbarmer...*'

Paolo begon te prevelen.

'Prijs nu de Grote Genadigen, de Grote Erbarmers van de Provincie Sukhavati en de diverse heilige Bodhisattva's en alle wijzen en heiligen.'

Paolo deed wat er van hem werd verwacht.

'Concentreer nu al jullie gedachten op het tienduizend maal herhalen van de naam van Amitabha Boeddha.'

Tienduizend! Hoelang zou je daarover doen? Drie uur? Vier? Hij wilde Chens vader spreken maar de andere pelgrims waren al begonnen.

Paolo vroeg zich af of hij zou kunnen wegglippen als zij eenmaal de staat van trance hadden bereikt.

Hij begon de naam te zeggen en herhaalde die zo vaak dat hij bijna in slaap viel. Toen hij weer wakker werd vond hij het lastig om zich te concentreren op wat hij zag, maar de andere smekelingen waren inmiddels allemaal in een diepe trance.

'Laat ons nu honderdacht maal de naam zeggen van Avalokitesvara, Mahasthamaprapta en van de heilige Bodhisattva's.'

Dat vond Paolo meer dan genoeg.

'Dankzij deze aanroeping en herhaling van de naam van Boeddha zal jullie deugdzaamheid aanmerkelijk zijn toegenomen en in alle lagen van het bestaan zullen alle zelfbewuste wezens de Goede Stem willen horen en de Juiste Incantatie leren en herboren worden in het land van Amitabha.'

Paolo wist niet of hij wel herboren wilde worden in het land van Amitabha, of negenenveertig dagen op de rug van een witgevederde kraanvogel wilde reizen of door Koning Yama wilde worden geoordeeld. Het enige wat hij wilde was Chens vader spreken.

Hij ontvouwde zijn benen, stond op en liep met een boog om de pelgrims heen.

Het kostte hem een uur om zijn weg door de grotten te vinden en hij slaakte een zucht van opluchting toen hij eindelijk Chens vader, in zijn eentje zittend en rijst etend, terugzag.

De monnik reikte hem het kommetje aan en Paolo pakte een paar korreltjes. 'Heb je het blad gezien?'

'Dat heb ik.'

'En heb je er iets van opgestoken?'

'Ik heb geleerd dat mijn leven een blad is. Dat het zich vastklampt aan de boom. Dat het ervan kan worden afgerukt of dat het kan groeien, verleppen en vallen.'

'En als het valt?'

'Dan valt het.'

'En wat heb je geleerd?'

'Dat de dood het leven schoonheid verleent.'

De monnik zei niets.

Paolo wachtte. 'Wat moet ik nu doen?'

'Wat ben je toch ongeduldig.'

'Ik wil het weten.'

'Pak je plunjezak,' zei de monnik. 'En leg alles wat je bezit voor me neer.'

'Verlangt u giften?'

'Ik verlang niets. Ik wil alleen dat je me laat zien wat je hebt.'

Paolo leegde zijn plunjezak en stalde zijn spulletjes voor zich op de grond uit, alsof hij handel dreef voor Jacopo. De bezittingen leken klein en futiel tegenover een man die de maatschappij de rug had toegekeerd. Een fles water. Kleren. Brokken lapis. Een mes. En het blad.

'Meer bezit ik niet. Dit draag ik bij me op mijn reizen,' zei Paolo.

‘En als je slechts één ding zou mogen behouden, welk ding zou dat dan zijn?’ vroeg de monnik.

Paolo wist dat hij waarschijnlijk ‘het blad’ behoorde te zeggen, maar dat antwoord was al te voor de hand liggend. Hij keek naar de lapis.

‘Ik kan geen keuze maken.’

De monnik glimlachte.

‘Behoud dan niets.’

‘Ik kan me voorstellen hoe het moet zijn om met niets te leven,’ antwoordde Paolo. ‘Maar deze bezittingen zijn mijn verleden. Ik houd ze niet om materialistische overwegingen, omdat ik gebruik wil maken van de rijkdom die ze zouden kunnen brengen als ik ze later verkoop; en ik houd ze evenmin om goede sier mee te maken, ten teken dat ik verre reizen heb gemaakt en mijzelf een positie in de wereld heb verworven. Ik houd vast aan dit gesteente omdat mijn geliefde het heeft vastgehouden. Deze voorwerpen verbinden me met mijn vrienden, met mijn verleden, met alles wat ik geweest ben. Mij ontdoen van alles wat ik heb zou betekenen dat ik mij ontdoe van mijn vroegere levens en eigenschappen, zowel de goede als de slechte, dat ik mijn verleden en de dingen waarvan ik heb gehouden verstoot. Als u me vraagt zonder die dingen te leven, dan vraagt u mij zonder verleden te leven.’

‘Ik begrijp het,’ zei de monnik. ‘Ook ik heb mijn thuis verlaten en ben toegetreden tot een klooster waar alles nieuw voor me was. Een rijke koopman had de pronkzucht van de wereld afgezworen en alles wat hij bezat besteed aan de bouw van een woonstede in de heuvels. De rijstkommen waren van het mooiste lakhout en allemaal rijkelijk gedecoreerd. De meditatiezaal telde een duizendtal kaarsen die elke ochtend opnieuw werden aangestoken. De scharlaken gordijnen bolden in de wind en waren gemaakt van de fijnste zijde. De muren waren kaal maar volmaakt glad, onaangetast door de tijd. De wind ranselde de gladde stenen maar het stond pal, ongenaakbaar in zijn schoonheid. En toch was het een plek zonder geschiedenis. Van de gebeden van degenen die mij waren voorgegaan kon ik niets bespeuren. De traptreden waren niet uitgeslepen, geen voetafdrukken van degenen die hier hadden geleefd, gebeden en hier waren gestorven. Het gebouw had geen verleden. En dus voelde ik me er niet thuis. Het was té volmaakt: een oord vol sereniteit en vrede, maar die niet was verdiend. De schoonheid was eerder gekocht dan veroverd. Begrijp je wat ik bedoel?'

'U bent van mening dat vredige rust uitsluitend mogelijk is nadat wij een offer hebben gebracht, als wij verzaken. Het kan niet gewoon worden verleend.'

'Precies.'

Paolo vervolgde zijn relaas. 'U kunt niet bidden zonder te twijfelen, liefhebben zonder te vrezen, of leven zonder verleden. Er bestaat niet zoiets als een nieuw leven zonder bewustzijn van het verleden: zuiverheid zonder vergiffenis; verlossing zonder zondebesef.'

'Verandering kost tijd. Om het zonder bepaalde zaken te kunnen stellen. Zou jij bijvoorbeeld zonder jouw bril kunnen leven?'

Voor het eerst was Paolo verbaasd. Hij had de bril nooit beschouwd als een bezit doch als een behoefte; hij was een deel van hem geworden.

'Mijn hele leven heb ik nooit kunnen vertrouwen op de dingen die ik meende te zien. Ze waren te veraf of te dichtbij; en ik moest er steeds een slag naar slaan. Nu ik duidelijk kan zien, merk ik dat ik nog steeds moet oppassen dat mijn ogen mij niet bedriegen. Maar ik zou dolgraag terugkeren naar de mijnen van Badachshan om mijn geliefde door deze lenzen te aanschouwen, om te weten dat haar schoonheid van veraf even waarachtig is als van dichtbij. Daar heb ik mijn hoop op gevestigd.'

'Leef jij voor de liefde?'

'Zeker.'

'Maar zelfs liefde is een bezitting. Je moet het verlies ervan incalculeren.'

'Maar als ik dat doe dan sterf ik elke dag.'

'Of het nu het geheugen, de geschiedenis, de liefde of het verlangen betreft, je kunt de zorgen van de wereld niet eeuwig met je meedragen. Die moet je prijsgeven als je doodgaat; waarom zou je die dan niet vast prijsgeven als je nog leeft en een ander leven gaan leiden?'

'Omdat ons geboren worden op aarde weinig zin zou hebben als we verkiezen buiten deze wereld te leven en het heden in te ruilen voor de toekomst.'

'Door je bezittingen te behouden, behoud je alles wat je problemen heeft opgeleverd. Zelfs de lapis waaraan je je zo krampachtig vastklampt.'

'Dit is alles dat me heeft gemaakt tot wat ik ben.'

'Het grootste bezit op aarde is je gezondheid en het geheim van het leven is eenvoudig: tevredenheid is de grootste schat. Vertrouwen is de beste kameraad. Nirvana schenkt het hoogste genot.'

'Dat weet ik, maar ik vertrouw het niet. Ik ben bang alles op te geven wat ik heb.'

'Maar voel je je gerust met wat je bezit? Heb je vrede met jezelf?'

'Nee,' antwoordde Paolo. 'Ik ben een gevangene op deze reis en gescheiden van alles wat ik liefheb.'

'Maar dan ben je al afgesneden van alles wat je het meeste knecht.'

'En van alles wat ik zelf ben, zonder welke ik niet kan leven. Begrijpt u dat niet?'

'Natuurlijk begrijp ik dat,' zei de monnik. 'Maar jij moet beseffen dat je, totdat je begrijpt dat er geen "ik" is, of althans dat er ooit een dag zal komen dat er geen "ik" zal zijn, nimmer rust zult vinden.'

'Waarom ben ik dan geboren? Er is toch zeker wel iets dat ik moet doen, waar ik van moet houden en de wereld beter moet achterlaten dan ik haar aantrof? Waarom ben ik geboren als ik geen enkel nut heb?'

'Is er wel iets dat nút heeft?' vroeg de monnik.

Ze zouden spoedig moeten vertrekken, maar het viel Paolo op dat noch Salek noch Jacopo haast maakte om hun biezen te pakken. Hij begon zich zorgen te maken om Simone, zijn opdracht, hun belofte. Had de ontdekking van zo'n volmaakt blauw een bijzondere betekenis?

Paolo merkte ook dat de geestdrift van zijn beschermer voor jade de laatste dagen tanende was. Hoewel Jacopo klaar was om de terugreis te ondernemen, leek het vooruitzicht zo'n lange reis te herhalen hem te ontmoedigen. Hij had langer de tijd nodig om op krachten te komen. Hij bewoog zich traag en het viel Paolo op dat hij bleker, zelfs magerder leek. Hoewel het aan de sterkte van zijn brillenglazen kon liggen, zag Paolo ook dat Jacopo's lippen een beetje blauwachtige tint hadden.

'Die lenzen die je voor je ogen draagt,' klaagde Jacopo, 'die maken jouw gezichtsvermogen beter maar het mijne beroerder.'

'Hoe bedoelt u?' vroeg Paolo. 'Vertel op.'

'Soms zie ik het blauw van de hemel erin weerspiegeld, of mijn eigen gezicht, maar als ik nogmaals kijk, is de kleur niet zo helder meer en begint de wereld te draaien. Ik kan niet goed zien. Mijn ogen zijn vermoeid, ik heb hoofdpijn.'

'U moet rusten,' antwoordde Paolo.

'Ik heb ook pijn in mijn borst.'

'U hebt altijd pijn in uw borst,' zei Salek.

'Maar ik voel het: het is mijn hart.'

'Het is uw eeuwige getob,' antwoordde Salek, 'en uw spijsvertering. U denkt te veel na. Geld, jade, reizen, het weer. En u mist uw vrouw.' Hij haalde zijn schouders op. 'Dit is voldoende. Kome wat kome.'

Maar toen ze twee dagen later aan het avondmaal zaten, hield Jacopo plotsklaps op met eten en schoof zijn bord opzij.

'Ik kan niet meer eten. Misschien moet ik mijn energie bewaren voor Pesach. Dat is het binnenkort.'

'Hebt u uw eetlust verloren?' vroeg Paolo.

'Nee. Ik voel me licht in mijn hoofd, onzeker, alsof ik de vallende ziekte heb.'

'Heeft het weer te maken met uw gezichtsvermogen?'
'Nee. Ik geloof niet dat het hem daarin zit.'
'U hebt te snel gegeten,' zei Salek. 'Het gaat wel over.'
'Misschien hebt u net zulke lenzen nodig als de mijne,' zei Paolo. 'Ik zal het aan Chen vragen.'
'Nee,' zei Jacopo, 'dat is het niet.' Zijn stem leek van ver te klinken en hij staarde in de verte.
Paolo begon zich zorgen te maken. 'Wat scheelt eraan?'
'Ik weet het niet.'
Jacopo probeerde op te staan uit zijn stoel maar viel toen terug. 'Ik kan mijn evenwicht niet houden.' Verbaasd over zijn onvastheid, deed hij opnieuw een poging te gaan staan. Opnieuw, alsof alle energie uit zijn lichaam geweken was. Beschaamd over zijn onvermogen, begon Jacopo nu te doen alsof hij eigenlijk helemaal niet van plan was geweest op te staan, alsof er geen vuiltje aan de lucht was. 'Het gaat wel over. Laat me alleen. Laat me met rust.'
'U ziet bleek.'
'Ik zei toch dat het wel overgaat.'
Maar dat ging het niet. Jacopo begon over zijn hart te wrijven. 'De lucht betrekt.'
'Wat scheelt eraan?'
'Ik weet het niet. Misschien heb ik iets verkeerds gegeten. Mijn hart doet pijn.'
'Ga liggen,' zei Salek. Hij stond op en probeerde Jacopo over te halen in beweging te komen.
'Ik weet niet goed of ik dat wel kan.'
'Kom, ga even liggen. Laten we je naar binnen brengen.' Paolo en Salek pakte elk een arm en probeerden Jacopo uit zijn stoel omhoog te trekken. Maar toen ze dat deden, begaven zijn benen het en kromp hij, stuiptrekkend van pijn, ineen. De pijnscheuten begonnen zich vanuit zijn hart uit te spreiden naar zijn borst en nek, zodat Jacopo's hoofd werd uitgerekt en er een brandend gevoel opwelde in zijn longen. Hij sloot zijn ogen, niet bij machte iets te beginnen tegen de intense hitte die bezit van hem nam.

'Het vuur,' zei hij, 'het vuur brandt in me.'

'Water,' zei Salek, 'ik zal water voor je halen.'

Maar toen hij losliet kon Paolo hun vriend niet langer overeind houden. Jacopo's lichaam begon te stuiptrekken en te beven. Hij zwaaide met zijn armen en begon uit te halen, alsof hij demonen van zich afsloeg die hem kwamen opeisen. Deze keurige, beheerste man die zich altijd onberispelijk kleedde en nimmer haastte, was in de tierende ban van de pijn.

Hij strompelde voorwaarts, terwijl de wereld om hem heen draaide, en greep met zijn ene hand naar zijn hart terwijl hij zijn andere hand uitstak als een blindeman die op de tast zijn weg zoekt.

'Wat moet ik doen?' vroeg Paolo.

'Help me,' zei Jacopo, happend naar adem.

Salek kwam terug met een kruik water en wilde net een glas inschenken toen Jacopo op de grond viel. Hij rolde om, op zijn buik, en probeerde zijn pijn in de grond te persen.

'Houd hem vast,' zei Salek. 'Hij heeft een aanval.'

'Nee,' antwoordde Paolo, 'hij moet zich vrij kunnen bewegen.'

Het lichaam kronkelde en Jacopo's hoofd draaide opzij en met zijn tong uit zijn mond snakte hij naar adem.

En toen, plotseling, lag hij doodstil.

Zowel Paolo als Salek werd door de stilte overvallen en keek bewegingloos toe.

'Ademt hij nog?' vroeg Salek. 'Controleer jij het eens.'

'Ik weet niet hoe dat moet.'

Salek knielde bij hem neer en drukte zijn vingers tegen Jacopo's hals. Toen voelde hij zijn pols.

'Hij leeft nog. We moeten zijn pijn zien te verlichten. Help me hem op te tillen. Dan brengen we hem naar binnen.'

Ze droegen hem naar een lage brits en begonnen aan een lange wacht terwijl hun vriend voor zijn leven vocht.

De eerste keer dat Jacopo zijn ogen opende, probeerde Salek hem te troosten. 'Rust, mijn vriend.'

'Nee, daar is nog tijd te over voor. En misschien is dat voor mij wel een opluchting. Het einde is in zicht. Ik heb de tijd om me erop voor te bereiden.'

Terwijl hij Paolo aankeek, schoten zijn ogen heen en weer. 'Waar is de jongen?'

'Hier.'

'Ik moet je om een dienst verzoeken.'

Salek liep weg, op zoek naar kervel om het bloed te reinigen, naar knoflook om de druk te verminderen, naar water om zijn voorhoofd te verkoelen: onverschillig wat Jacopo's pijn zou kunnen verlichten.

Paolo keek naar de oude man, met zijn lijkbleke gelaat, zijn wanordelijke baard en zijn uitgeputte ogen. 'Moge mijn dood de boetedoening zijn voor al mijn zonden.'

'Waarom zou u vergeving behoeven?' vroeg Paolo.

'Ik heb gereisd. Ik ben zelfzuchtig geweest. Wij werken om te verwerven en te bezitten en wat laat ik in de steek? Mijn vrouw, zonder mij, een weduwe.'

'Blijf leven,' smeekte Paolo. 'Vervolg uw reis. Laten we naar huis terugkeren.'

'Ik geloof niet dat ik daartoe in staat ben. Ik moet sterven en op genade hopen. Misschien is het goed voor jou om getuige zijn van zulke pijn.'

'Wat wilt u dat ik voor u doe?'

'Als voor mij alles voorbij is, ga dan naar Giudecca in Venetië en stel Sofia op de hoogte. Zeg haar dat ik altijd van haar heb gehouden. Dat zij mijn levensgezellin is geweest en dat we, als God het wil, en na die vreselijke Dag des Oordeels, weer samen zullen zijn. Er zal niets komen tussen ons en de eeuwigheid. Beloof me dat je haar dit zult zeggen: dat ik sterf met haar, mijn Sofia, mijn geliefde, in mijn gedachten.'

Zijn ademhaling haperde. 'Ooit hoopte ze mij nooit dood te zien. Die aanblik hebben we haar tenminste bespaard. Neem mijn bezittingen, ruil wat je kunt om voor jade, en geef haar de helft. Breng het blauwe gesteente naar Simone. Deel de rest van mijn bezittingen met Salek. Doe daarna wat je niet laten kunt. Maar alsjeblieft, vertel mijn vrouw dat ik van haar heb gehouden.'

'Ik aanvaard niet dat u sterft. Ik weiger het te geloven,' zei Paolo.

'Vraag haar om vergeving. Beloof me dat mijn laatste adem haar toebehoort. Lees me voor uit de Psalmen. Ik zal aan haar denken, en ik zal denken aan de Heer die mij heeft geschapen en tot wie ik moet terugkeren.'

'Dat beloof ik,' zei Paolo.

'Jij moet de laatste stem zijn, in plaats van de hare.'

Jacopo sloot zijn ogen. Zijn ademhaling was onregelmatig, hortend, alsof hij het ritme maar niet kon vinden. Een trage, gestage luchtstroom werd geleidelijk aan naar binnen gezogen en als hij inademde beefde zijn lichaam. Hij lag bewegingloos, alsof hij al dood was, alvorens hij de lucht met schokjes weer uitademde.

Paolo keek hoe Jacopo in slaap viel. Hij dacht terug aan de reizen die ze hadden gemaakt en alles wat ze samen hadden beleefd.

Zo was het dus om een man te zien sterven.

'U bent als een vader voor me geweest,' zei hij.

Jacopo bewoog zich niet. Hij leek zich tussen twee werelden op te houden.

Paolo keek naar de moeizame ademhaling: de droge mond, de zweetdruppels op het voorhoofd. Sterven was een heel karwei.

Salek keerde terug in de kamer en Paolo begon te reciteren uit het boek Psalmen.

Hij verklaarde plechtig dat de Heer zowel een steenrots als een vesting was, en dat Jacopo's hart, zelfs als hij Hem had teleurgesteld, verblijd was. Hij vroeg God Zijn goedertierenheid, het levenspad, de volheid van de vreugde en de eeuwige gelukzaligheid te tonen. Hij vroeg hem Jacopo als de appel van Zijn oog te bewaren en hem in de schaduw van Zijn vleugelen te nemen; opdat hij de gruwelen van de nacht noch de pijl die daags vliegt, noch de pest die in het duister rondwaart, noch de vernietiging die middendaags wegteert niet langer hoeft te vrezen. Hij smeekte God, middels de Psalmen, Jacopo te laten herrijzen, met engelen die zich over hem ontfermen, en hem de verlossing te brengen die degenen die hun vertrouwen in Hem hebben gesteld is voorbehouden.

Toen de ademhaling verzwakte, bereidde Paolo de laatste gebeden voor. Hij sprak luidkeels en met vaste stem, alsof hij waarlijk geloofde.

'Ik beken u, o Heer mijn God en God van mijn vaderen, dat zowel mijn genezing als mijn dood in uw handen ligt. Moge Uw wil zijn mij een volmaakte genezing te doen toekomen. Doch indien U vastbesloten bent aangaande mijn dood, zal ik die in liefde door Uw hand aanvaarden. O moge mijn dood een loutering zijn van al mijn zonden, onrechtvaardigheden en dwalingen die ik jegens U heb begaan.'

Jacopo hief zijn hand op.

Was het een dankbetuiging, een groet of een afscheid?

Toen viel de arm terug en draaide zijn hoofd opzij. Even leek het alsof hij iets smerigs had doorgeslikt.

Hij opende zijn ogen en staarde in de verte, voorbij de aanwezigen, voorbij de bergen, strak gericht op een einder die alleen hij kon zien. Zijn ogen waren donkerbruin, maar erin blonk iets van een verschrikkelijke schoonheid. Jacopo leek onder de indruk van de dood, overweldigd door zijn macht en mysterie. Hij sloot zijn ogen en liet zijn hoofd terugzakken op zijn kussen.

Hij haalde nog steeds adem.

Paolo keek naar de bewegingloze gestalte. Wat bleek was het gelaat. Dit was de kern van het leven, de onvermijdelijkheid van de dood. Hij keek naar Salek en ze zeiden hardop: 'Hoor O Israël, de Heer is onze God, de Heer is een.'

Toen slaakte Jacopo een langgerekte, trage zucht alsof alle zorgen van de wereld vervaagden. Het was zijn laatste ademtocht. Dit was de onloochenbaarheid van de dood: even eenvoudig als de geboorte, even krachtig als de hevige emotie van de liefde, en Paolo werd door zijn macht tot zwijgen gebracht.

Hier was het, voor hem uitgestrekt; luisterrijk, glashelder en onmiskenbaar.

Salek legde een veer op Jacopo's lippen en keek of er nog iets van een ademtocht te bekennen was.

Ze wachtten acht minuten.

Paolo sloot de ogen en de mond.

Hij strekte de armen en de handen langs het lichaam.

Toen verbond hij de onderkaak.

Salek stak een kaars aan. 'De profeet Mohammed had een joodse vrouw, Safiya. De filosoof Maimonides was de geneesheer van Saladin. Wij zijn allen mensen van het Boek, kinderen van Abraham. Ooit zullen wij God zien.'

De twee mannen hielden zwijgend een wake bij Jacopo. Van het leven was geen spoor meer over, louter afwezigheid. Het lichaam was verlaten. En die onomstotelijke afwezigheid deed Paolo inzien dat het sterfelijke vlees niets te betekenen had. Het lichaam was een huis geweest, een gevangenis, en een tombe; nu was het helemaal niets meer. Hun vriend was naar elders verhuisd.

Paolo dacht toen dat het geheim van hemel en hel niet in het hiernamaals besloten lag, maar in het moment van het sterven.

De enige religie lag in de wijze waarop iemand stierf.

VENETIË

De daaropvolgende dagen werd Paolo gekweld door de gedachte dat hij zijn leven kon vervolgen terwijl Jacopo dat niet kon. Hij pakte de biddoos, de menora en de bidsjaal van zijn vriend; de jade voor Sofia; zijn kaarsen, kleren, potten en pannen: de overblijfselen van een bestaan. Salek pakte de spullen in en bond ze op hun muilezels, terwijl de vrouwen van Tun-huang hun bloem, boter, melk en kaas voor de reis aanboden.

De mannen konden nauwelijks geloven dat ze vertrokken en Paolo was zo vervuld van melancholie dat hij die totaal niet kon verhullen. Hij probeerde zich zelfs zijn eigen dood voor te stellen. Hoe oud zou hij worden? Wie zou er dan bij hem zijn?

'We gaan allemaal dood,' zei Salek, terwijl hij hun bezittingen controleerde. 'De kwestie is alleen dat je het nog nooit eerder had meegemaakt.'

'En wat doen we nu?'

'We vervolgen de reis; we dragen onze smart; we proberen te volbrengen wat we hebben beloofd.'

Ze begaven zich op weg door de straten en over de marktpleinen van Tun-huang, terug door de Jadepoort, en verder naar de bergen in het noordwesten. Paolo vroeg zich af hoe de mensen rondom hem gewoon konden doorleven alsof er niets was gebeurd. Wisten zij niet wat de dood inhield? Waarom er een einde was gekomen aan het leven?

'Die hebben hun eigen besognes,' zei Salek. 'Als zij zich elke keer als er iemand doodgaat in de rouw zouden storten, zouden ze geen leven meer hebben. We moeten gaan.'

'Het leven is hard.'

'Maar we leven tenminste. Je moet nog veel leren van het leven.'

'En wat moet ik dan leren?' Paolo was bijna te moe om het te vragen.

'Dat je afscheid moet nemen van mensen alsof je ze nooit meer zult terugzien; en van een plek alsof je er ooit zult terugkeren.'

'Die vormen van afscheid nemen lijken zo verschillend...'

'En toch zijn het de enige manieren.'

Salek opperde dat de kortste weg terug de route noordwaarts naar Samarkand was. Ze zouden de snelle route nemen en daarbij een goed gebruik kunnen maken van het milde weer en de beschikbaarheid van voedsel, rustplaatsen en water.

Het gematigde klimaat maakte dat al hun voorgaande reizen onvoorstelbare dwaasheden leken toen ze naar Bokhara en Merv en vervolgens zuidelijk van de Kaspische Zee hun weg vervolgden naar Hamadan, Palmyra en Tyrus. Ze trokken door sinaasappelboomgaarden en rijstvelden, langs laaggelegen zijdeplantages en moerbeiboomgaarden, en eindelijk reden ze weer op lichtgouden Turkmeense paarden die zo'n vijftien handen hoog waren.

Het landschap werd bijna lieflijk toen ze voorbij de laatste sleutelbloemen en de eerste akeleien reden, wilde paddestoelen, mosterd, uien, postelein en waterkers plukten, op de markten karnemelk kochten en waar ze maar konden in de meren en rivieren visten.

In Hajar El-Hubla toonde Salek Paolo de steengroeve die de grootste gehouwen steen op aarde bevatte, die door zwangere vrouwen werd aangeraakt om hen vruchtbaar te maken. Zij wandelden tussen de ceders van Libanon en bezochten de stenen tempels van Jupiter en Bacchus in Baalbek. Tijdens de reis vertelde Salek wonderbaarlijke verhalen over opzienbarende offers, mystieke gebeden en geheime orgieën. Paolo vroeg zich af of zijn gids die verhalen alleen maar opdiste om niet over zichzelf en zijn verleden te hoeven reppen, alsof de herinnering aan zijn thuis te pijnlijk was. En soms leek het alsof alles dat van belang was – Aisja, hun terugkeer, de dood van Jacopo – en al hun angsten aangaande de toekomst maar beter onbesproken konden blijven.

Paolo bedacht hoe weinig hij eigenlijk wist van Salek. Ze trokken samen op en waren echte metgezellen, maar zou hij hem ooit zijn vriend kunnen noemen?

In de Egyptische haven van Tyrus vonden ze een boot die Paolo naar Venetië zou brengen. In de haven wemelde het van de in rode en witte keffiyehs geklede kooplieden die verf vervaardigd van geplette purperslakkenhuisjes, glas uit Sarepta en cederhout uit Sidon en Bcharrae verkochten. De mannen schreeuwden het uit en probeerden stenen aan de man te brengen uit de sarcofaag van Ahiram, pyriet, turkoois, saffier en kwarts. Een Fransman speelde met vijf civetkatten, en zorgde ervoor dat ze van de hitte begonnen te zweten om aroma op te vangen uit de klieren onder hun staarten om een geur tot stand te brengen die voor alle vrouwen aantrekkelijk was; terwijl een apotheker een brouwsel stookte dat de geur des doods voor altijd moest temperen.

Paolo deed zijn best de moed niet te verliezen en kwam in de verleiding hier alles te verhandelen, al zijn bezittingen weg te geven en terug te keren met niets, zoals de monnik hem op het hart had gedrukt. Maar Salek spoorde hem aan zijn voornemen uit te voeren, de jade naar Sofia te brengen en de lapis naar Simone. 'Dan en pas dan zullen de mensen in Tabriz, als je ooit besluit terug te keren, mij weten te vinden – als ik dan tenminste nog leef.'

Paolo zuchtte. 'Natuurlijk bent u dan nog in leven. Ik weet zeker dat ik u terug zal zien.'

'Ja,' antwoordde Salek, 'misschien zelfs al morgen, als we gespaard blijven.'

'Dat bedoelde ik niet,' zei Paolo.

Ze keken naar een zwerm gierzwaluwen die boven hun hoofden rondjes vloog. Salek vroeg zich af wanneer zijn metgezel ooit zou leren het leven wat luchtiger op te vatten.

'Gaat u terug naar uw dorp?' vroeg Paolo.

'Nee. Ik heb nog één reis voor de boeg; en dat is een reis die ik alleen moet maken.'

'U wordt honderd op uw sloffen.'

'Dat wil ik niet eens.' Salek glimlachte. 'Als ik word geroepen, zal ik bereid zijn.'

'Ik heb mijn leven aan u te danken,' antwoordde Paolo.

'Nee, je weet dat dat niet waar is. Alleen Allah behoedt het leven.'

'Ik wilde dat ik uw geloof had.'

'Dat komt wel,' antwoordde Salek. 'Maar je moet ook willen dat het komt.'

De volgende ochtend stond Paolo op de plecht van zijn boot, keek naar de in de verte verdwijnende gestalte van zijn vriend en vroeg zich af of zijn leven ooit meer zou kunnen zijn dan een voortdurend afscheid.

ജ

Het schip was een met een latijnzeil getuigde Venetiaanse galei en onderweg naar huis probeerde Paolo zich te herinneren hoe zijn leven er had uitgezien voordat hij vanuit Ancona zee koos. De herinnering aan dat eerste vertrek lag even ver van hem vandaan als zijn kinderjaren. Toen ze over de Ionische Zee en de Adriatische Zee zeilden, lag hij op zijn kooi en dacht na over alles wat hem was overkomen: de vriendschap met Jacopo en Salek, de ontdekking van het blauwe gesteente, de liefde, de bril, de dood.

De besloten ruimte maakte dat hij zich voorstelde hoe het zou zijn om in een graf te worden gelegd en tot in alle eeuwigheid zo te blijven liggen. Wat zouden zijn laatste gedachten zijn? Zouden zij bij Aisja verkeren? Was de slaap simpelweg een dagelijkse herinnering aan de dood, bedoeld om ons eraan te herinneren hoe het moest zijn om je voor te bereiden op de definitieve duisternis? Die overtuiging was Jacopo toegedaan geweest. Elke nacht had hij gedacht aan zijn geliefde, de dood en zijn Schepper, en had hij gebeden alsof zijn laatste uur was geslagen. Zou Paolo zijn leven zo moeten leiden?

Toen de boot Venetië naderde, voelde hij dat hij uit zijn toekomst terugreisde naar zijn verleden. Net zoals bij zijn vertrek het land plaats had gemaakt voor het water, voelde hij nu de horizon naderbij komen en de zee ondieper worden. Maar nu hoefde hij het naderbij komen van land niet meer te raden. Hij kon de glooiende groene eilanden vol naaldwouden en olijfgaarden, het geelbruine licht op de campanili van Torcello, Burano en San Erasmo zien. De gebouwen schreeuwden hun kleuren bijna uit: violet, karmozijn, goud en groen; een uitstalling van bonte contrasten; marmer en steen, water en weerspiegeling.

Paolo stapte aan wal en probeerde zich de ontmoeting met Jacopo's vrouw voor te stellen. Zolang hij nog onderweg was had hij geprobeerd zijn plicht om het noodlottige nieuws over te brengen te vergeten, maar nu, nu hij terug was in de Veneto, kon hij aan niets anders denken. Misschien had hij een jongen vooruit moeten sturen om andere familieleden in te lichten zodat zij het in zijn plaats aan Sofia konden overbrengen. In gedachten zag hij hoe ze buiten ging zitten, in een kleine tuin, onder een boom; of hoe ze aan de waterkant stond te wachten tot zijn schip de haven binnenvoer; of van de synagoge op weg naar huis, voldaan en onbezorgd.

Paolo vroeg zich af of Sofia het intuïtief zou weten, of ze een voorgevoel kon hebben gehad, een plotseling, schrijnend moment van afwezigheid, alsof de hartaanval de aarde over was gereisd, en ze zich bewust was van de pijn die ermee gepaard ging. Hij stelde zich haar voor op de markt waar ze tomaten, vers van het land, keurde, om daar stokstijf te blijven staan, verbaasd over een vreemde angst, een wereld die even was opgehouden te bewegen.

Hij wachtte even, moe van het zweet op zijn voorhoofd, het gewicht van de bezittingen op zijn rug, de pijn in zijn benen. Hoe kon hij een confrontatie vermijden waarin een wereld ineen zou storten en hoop de grond in zou worden geboord?

Hij probeerde zich erop voor te bereiden door zich elke mogelijke reactie op het nieuws voor de geest te halen: stilzwijgen, smart, ongeloof, radeloosheid: een kleine joodse vrouw die van verdriet op haar bed ineenzijgt: een ijselijke kreet, tranen, een langgerekt, schor gejammer dat uit de maag oprijst om in een nimmer eindigende gil van ontkenning uit te monden.

Hij klopte op de deur en wachtte.

Zou Sofia alleen zijn of zou ze bezoek hebben? Hij vroeg zich af of hij dat van tevoren had moeten nagaan. Nu was het te laat.

Nu klonk er een gerucht vanachter de voordeur en hij hoorde een grendel die werd teruggeschoven. De lage middagzon boorde zich door de kier tussen de deur en de plint naar binnen zodat de gestalte bijna werd verblind door deze overvloed aan licht.

De vrouw hief een hand op om haar ogen af te schermen. 'Wie ben jij?' vroeg ze.

Paolo had vergeten dat hij het een en ander had uit te leggen. 'Ik heb samen gereisd met uw echtgenoot.'

'Wat wil je?' Haar toon was agressief en Paolo was er niet op voorbereid dat hij een verdedigende houding moest aannemen.

Misschien kon hij beter nu, nog voor de wanhoop toesloeg, vertrekken. U bent toch Sofia, de vrouw van Anatoli?'

'Die ben ik.'

Paolo bedacht dat hij er eigenlijk een rabbijn bij had moeten halen. Zo had ze het behoren te horen: uit de mond van een rabbijn, met de overige gezinsleden om haar heen. 'Mag ik binnenkomen?'

De vrouw aarzelde. 'Straks begint de sabbat. Je moet voor zonsondergang weg zijn.'

Ze opende de deur en liet Paolo binnen.

Hij probeerde zich deze kleine vrouw met haar olijfkleurige huid voor te stellen naast haar man. In gedachten stelde hij zich de dag van hun huwelijk voor en hoe zij na afloop samen aan het bruiloftsmaal aanzaten en lachten.

Gelukzaligheid.

Het huis maakte nu al een lege indruk.

Het was een eenvoudig ingerichte kamer zonder opvallende tekenen van welstand.

Dit was waarvoor Jacopo zijn reizen maakte en handel dreef: dit thuis, deze vrouw.

Hoe zou het zijn geweest als Sofia bij zijn sterven aanwezig was geweest?

'Heb je nieuws te melden?'

'Dat heb ik.'

Hij voelde hoe de hoop de kamer ontvlood. Moest hij haar vragen te gaan zitten? Jacopo zou het wel hebben geweten. Paolo herinnerde zich zijn stem, de toon waarop hij hem instrueerde, hem beschermde. Hij had hem verteld met welke woorden hij zijn relaas diende te besluiten, maar niet met welke woorden hij het moest aanvangen: wat hij moest zeggen maar niet hoe hij het moest zeggen.

'En wat houdt dat nieuws in?' vroeg ze.

Paolo voelde de angst in zich oprijzen, het weeë gevoel in zijn maag, zijn droge mond, alsof die was verzegeld.

Er stonden druiven op tafel.

Sofia liep er naartoe en begon te eten.

Toen staarde ze, druiven etend, in de verte, alsof ze daarmee zijn tijding kon afwenden.

Paolo wachtte tot Sofia was uitgegeten.

Toen dat het geval was, sloeg hij zijn ogen neer en keek toen weer op, recht in de ogen van deze nieuwe weduwe.

'Is het geschied?' zei ze ten slotte.

'Ja,' zei Paolo.

'Is hij dood?'

Paolo herinnerde zich dat Aisja hem had verteld van de dood van haar man. De woede en de radeloosheid.

Maar Sofia sprak op abstracte wijze, alsof ze zich al bij hem had gevoegd. 'Ik heb me deze dag altijd voor de geest proberen te halen. Soms hoopte ik dat ik de eerste was die zou sterven; dat hij dan bij me zou zijn. Maar omdat hij ouder was, heb ik altijd wel vermoed dat hij het zou zijn. Was het zijn hart?'

'Ja, dat was het.'

'Ik wist dat hij niet hier zou zijn, dat hij me zou verlaten en dat ik hem niet terug zou zien. Het zou me plotseling overvallen. *Zie, deze dag heb ik u leven gegeven en goed, en dood en kwaad*. Mijn leven heeft tot dit ogenblik geleid.'

Paolo haalde Jacopo's beurs tevoorschijn en legde die op tafel. 'De opbrengsten van zijn handel.'

'Daar stel ik geen belang in.'

'Er is ook jade. Die zal u beschermen.'

Sofia zei niets.

'Hij wilde dat u dit kreeg. Dat was het doel van zijn reis. Ontzeg hem dat niet. Neem het aan.'

'Nu haat ik het,' zei Sofia, 'het is zijn doodsoorzaak.'

'Nee,' zei Paolo, 'zijn hartkwaal had niets van doen met zijn handel. Dat weet u heel goed.'

'Maar het reizen heeft hem uitgeput.'

'Alles heeft hem uitgeput. Dacht u dat het nooit zou gebeuren?'

'Ja,' antwoordde ze. 'Hoewel ik zijn dood altijd heb gevreesd, kon ik me daar nooit iets bij voorstellen. Ik heb me proberen voor te bereiden op alles wat jij hebt gezegd, maar als het echt zo ver is, kom je erachter dat het onvoorstelbaar is. Die tijd dat je in angst leefde en je de rampspoed voor de geest haalde is verspilde tijd geweest. We moeten leven met wat we hebben en wanneer we het hebben. Dat weet ik nu. Dat zie ik nu wel in, maar het is moeilijk te verteren. Als je liefhebt, zul je altijd onwillekeurig het verlies ervan vrezen.'

'En als die vrees de liefde die je koestert verwoest?'

'Nee,' antwoordde Sofia, 'de angst maakt deel uit van de liefde. Daarom doet zij ertoe. We kunnen er niet van uitgaan dat het voortduurt: en dus wordt het iets zeldzaams.'

'Maar het kan wel degelijk voortduren,' benadrukte Paolo, 'in ieder geval tot de dood, en wellicht daar voorbij.'

'Mensen die van liefde spreken zijn zelden weduwnaars of weduwen.'

'Dat weet ik nog zo net niet,' begon Paolo, doch Sofia viel hem in de rede.

'Heeft hij pijn gehad?' vroeg ze, opnieuw verstrooid. 'Heeft hij veel geleden?'
'Een klein beetje, maar.'
Ze keek door het kleine raampje naar buiten. 'De avond is gevallen.'
Paolo voelde de leegte tussen hen. 'Waar zijn uw kinderen?'
'Die komen straks pas. Ook zij hebben geprobeerd zich op deze dag voor te bereiden. En nu is die dan aangebroken. *Want de dood is door het venster naar binnen geklauterd, heeft onze vesting betreden, kinderen van de straat geplukt, jongemannen van de pleinen.*'
Paolo ging naast haar zitten. 'Zelfs al heb ik het allemaal voorzien, toch hoop ik soms dat het niet waar kan zijn. Zelfs vandaag geloof ik nog dat ik wellicht een afschuwelijke vergissing heb begaan, dat het niet is gebeurd, dat ik het allemaal heb gedroomd.'
'De dood is ons voorgespiegeld maar dan toch nog in een ander land; zo ver weg dat ik het nooit helemaal zal geloven. We zullen wachten op zijn terugkeer. En dus is dit slechts een droom die aan de volgende wereld voorafgaat. Ik kan niet anders doen dan wachten en hopen dat dit niet het einde is doch een ander begin.'
'Op zijn sterfbed vroeg hij u om vergiffenis.'
'Jacopo heeft gekozen tussen het huwelijk en het avontuur.'
Het was de eerste keer dat ze zijn naam noemde en ze schrok er zelf van: de noodzaak om de verleden tijd te gebruiken, zijn afwezigheid. Ze zweeg en bad, opeens beschaamd, alsof ze dat voorheen was vergeten. *'Moge zijn nagedachtenis een zegen zijn voor het leven in het hiernamaals.'*
Paolo wist dat hij eigenlijk behoorde weg te gaan, maar Sofia praatte door.
'Nu heb ik een eeuwige toekomst om naar uit te kijken. Een toekomst waarin er geen jongen bij me aanklopt met slecht nieuws, waarin geen afschuwelijke angsten of gevaren voorkomen, een toekomst waarin onze liefde ononderbroken zal voortduren. Nu heb ik weer hoop, en onze liefde wordt niet langer bezwaard door het gewicht van het verleden. *De Here heeft mij*

zwaar gekastijd, maar aan de dood heeft Hij mij niet overgegeven.' Ze glimlachte bedroefd. 'En jij,' zei ze plotseling, 'jij was dus de laatste stem?'

'Dat was ik.'

'Heb jij mijn plaats ingenomen?'

'Hij was als een vader voor me. Hij heeft me gevraagd u te vertellen dat hij nooit méér van iemand heeft gehouden dan van u. Toen ik klaar was met de Psalmen vroeg hij me er het zwijgen toe te doen zodat hij zich u aan zijn zijde kon voorstellen, waarbij u hem in uw armen houdt en vertelt dat alles goed zal komen. Ook al was u er niet, toch is hij aan uw zijde gestorven.'

Sofia knikte, alsof dat haar een merkwaardig genoegen deed. 'Ik zou nu graag even gaan liggen. Ik zal wachten tot de avond is gevallen. Dan zal ik de kaarsen aansteken en de sabbat verwelkomen.'

Ze stond op. 'Kom nog eens bij me langs. Vertel me oude verhalen. Maar vrees niet. Dit is de wereld. Ik zal niet lijden onder haar ondoorgrondelijke wegen.'

Paolo deed een stap achteruit. 'U hebt me de aanvang van het rouwproces getoond. U hebt me geleerd hoe liefde de dood kan overleven.'

Sofia keek in het halfduister op. 'Dat is nog maar het begin. De wereld gaat voorbij. Maar mijn man zal blij zijn geweest jou te hebben gekend. Ik ben blij dat jij bij hem was. *Dit is mijn troost in mijn bezoeking...'*

Paolo stak zijn arm uit en zij pakte zijn hand en omklemde hem met haar beide handen, zo krachtig dat hij in de vallende duisternis de aderen zag opzwellen.

'Ga nu,' zei ze. 'Een voorspoedige reis. En vertrouw op de liefde.'

ꕥ

Paolo stak op een boot de lagune over en voelde opnieuw de deining van het water onder zich. Korte tijd later passeerde zijn *sandolo* de verspreid liggende scheepswerven van de Arsenale.

De fregatten, galeien en brigantijnen lagen bewegingloos langs de kaden. Paolo herinnerde zich de laatste keer dat hij hier scheep was gegaan: een warboel van masten, kabeltouwen, zeilen, ankers, roeren en riemen, het ijzerbeslag, het ophijsen van de takels en het wegslepen terwijl de zeilen hoog boven hem werden gehesen.

Opnieuw dacht hij aan Aisja. Misschien was het onzinnig zo diepgaand in het verleden te leven, zijn gedachten in een kringetje te laten rondgaan, maar zo hevig was zijn verlangen nu eenmaal. Nogmaals herinnerde hij zich haar half geloken ogen toen ze hem kuste, de manier waarop haar ademhaling veranderde, de vochtigheid op het bovenrandje van haar lippen.

De boot zette koers in de richting van Murano. Hij probeerde zich de vreugde om zijn terugkeer voor te stellen en zo de herinneringen naar de achtergrond te schuiven, maar ze drongen zich aan hem op: de kromming van Aisja's rug, de ronding van haar borst, het onthutsende en wanhopige gevoel van haar armen die hem tegen haar aantrekken en vervolgens de overweldigende, aanzwellende, pure zindering van het leven. Het zou hem nooit verlaten, dacht hij, en zo'n intensheid zou hij nooit meer ervaren – de trilling van de aanraking, de geur, de smaak, de blik, en het geluid.

Hij dacht aan haar strelingen, tussen waken en slapen, de dromerige duisternis daar, de grote vreugde van het leven die het hier en nu benadrukte en de wetenschap dat dat het enige was dat ertoe deed; dat dit het enige was dat hij verlangde: die intimiteit, die geborgenheid, het ultieme gevoel ergens bij te horen. Om deze reden hopen en dromen mensen, dacht hij, om de liefde, hiervoor stellen ze hun leven in de waagschaal en zijn ze bereid te sterven.

Terwijl hij terugkeerde naar zijn ouders, vroeg hij zich af hoe zij ooit konden begrijpen wat hij had gezien en gedaan. Hij probeerde zich voor te stellen wat zijn moeder aan het doen was: brandhout verzamelen, voedsel bereiden, of misschien zat ze wel buiten op straat te naaien.

Toen hij de details van de gebouwen in de verte zag, de helderheid van het licht op het water en de mensenmenigten sloeg de angst hem om het hart. Hij schrok van een gierzwaluw die plotseling voor hem opvloog en werd bedroefd bij het zien van het doorgroefde gelaat van een bedelaar en keek verbaasd op toen een blinde man de hoek om kwam. Alles leek even belangrijk: de schoorstenen in de verte, de stenen palazzi, de houten bruggen. Hij keek niet langer door een vroege ochtendnevel. De sluier om de stad was opgetild en daar stond zij, harder, duidelijker, kleurrijker dan hij haar ooit eerder had gezien.

Paolo liep langzaam langs de werf, bewonderde de kleuren van de stenen, de harde weerspiegelingen op het water. Hij liep de straat in waar de ovens zich bevonden. Alles was zo overduidelijk dat hij niet wist of hij wel door moest gaan. Hij had pijn in zijn hoofd; zijn oogleden voelden zwaar van het kijken. Toen zag hij het bordes van zijn ouderlijk huis boven de straat uitsteken en het licht van de vlammen daarbinnen.

Hij bleef in de deuropening staan en keek om zich heen. De *stizzador* was bezig het vuur op te stoken. In de verte stond zijn vader glas te blazen en aan het einde van de blaaspijp te draaien. Nu Paolo Marco duidelijk kon zien was hij niet langer zo fors en angstaanjagend als hij hem zich had voorgesteld, maar ouder, droefgeestiger en vermoeider.

De man keek heel even op en ging toen door met zijn werk.

'Vader,' zei Paolo.

Marco keek opnieuw op en tuurde ingespannen in zijn richting. Zijn schouders waren gebogen als die van een geslagen man en de roetvegen op zijn gezicht duidden eerder op onverschilligheid dan op vervaarlijkheid.

'Vader.'

'Paolo? Ben jij het?'

'Ik ben het.'

'Teresa,' riep Marco, terwijl hij zijn blaaspijp terzijde legde alsof hij schuldig was bevonden aan een misdrijf. 'Kom naar beneden.'

'Nu niet,' riep ze.

'Nu meteen.'

Paolo kon zijn moeder op de trap horen. Hij zag haar voeten en vervolgens haar rokken.

'Wat is er?' riep Teresa.

Zodra hij haar stem hoorde, voelde Paolo zijn kinderjaren terugkeren.

Teresa bleef, geërgerd dat ze tijdens haar werkzaamheden was gestoord, onder aan de trap staan. Ze keek naar haar echtgenoot en veegde de bloem van haar handen.

'Kijk,' riep Marco uit.

Paolo zag de lok haar op Teresa's voorhoofd en de lichtblauwe ogen. Zelfs van een afstand viel hem de droefenis erin op.

'Moeder.'

Ze liep langzaam op hem toe, strekte haar rechterarm uit en beroerde zijn wang. 'Ben jij het echt?' Ze deed een stap achteruit, alsof ze elk detail van hem wilde controleren.

'Ja.'

'En je bent nog in leven?'

'Dat ben ik. Dit is geen droom.'

Teresa sloeg haar armen om hem heen. Ze omhelsde hem zo heftig dat Paolo haar bijna van zich af wilde duwen, maar zijn moeder hield hem stijf tegen zich aan geklemd, sprak snel en op gedempte toon en vertelde hem hoezeer ze naar deze dag had verlangd, dat ze het nooit voor mogelijk had gehouden dat hij ooit zou terugkeren, dat ze zich dag en nacht zorgen om hem had gemaakt. Ze had gedroomd van stormen en noodweer, van ontberingen en grote droogte, van oorlog en hongersnood, ze had zich voorgesteld dat hij dood was en zij op zijn begrafenis aanwezig was. Ze had haar leven gevuld met angst en nimmer rust gevonden. Het was een en al bezorgdheid en pijn geweest want ze was niets zonder zijn liefde; zonder de wetenschap dat hij veilig was. Leven zonder hem had geen betekenis; het was net een koude oven die nooit meer kon worden aangestoken.

'Maar nu ben ik weer thuis,' zei Paolo simpelweg.

'Laat me nooit meer in de steek.'

Teresa keek nogmaals naar hem en raakte zijn bril aan. 'Wat is dit? Maakt dit dat je kunt zien?'

Hij keek naar de rimpels op haar voorhoofd. 'Ja, dat klopt.'

Teresa deed een stap achteruit en speelde, zich merkwaardig opgelaten voelend, met een lok haar. 'Nu kun je zien hoe oud ik ben.'

'U bent nog steeds mijn moeder.'

Teresa wachtte even; opeens moest ze terugdenken aan de eerste keer dat ze hem ontwaarde: het baby'tje in het water. 'Dat ben ik, dat ben ik zeker.'

Ze kuste Paolo op zijn wangen, zijn voorhoofd en vervolgens op zijn lippen.

Toen mengde Marco zich in het gesprek. 'Je bent veranderd, Paolo. Je bent een man.'

'Ik weet niet wat ik ben, maar ik weet dat ik niet dezelfde ben.'

'En je kunt zien?'

'Glashelder.'

Marco stak zijn hand uit. 'Mag ik eens kijken.'

Paolo zette zijn bril af en gaf hem aan zijn vader. De wereld om hem heen werd weer troebel. De glasblazers bewogen zich als schaduwen in het duister, uitsluitend belicht door de gloed van de oven.

Zo herinnerde hij het zich allemaal.

Hij keek achterom naar zijn ouders die naast elkaar stonden en zijn bril bestudeerden.

'Ik had nooit gedacht dat je zou terugkomen. Nooit,' zei Teresa. 'Maar ik heb er altijd op gehoopt en erom gebeden. En nu zijn mijn gebeden verhoord.'

'En hierdoor kun je zien?'

'Jawel.'

'Maar de wereld is omgedraaid. Het is net alsof je onder water bent. Zag je dit voordat je die bril had?'

'Ik weet het niet.'

Marco gaf de bril aan zijn vrouw. 'Moet je zien.'

Teresa keek door de glazen naar haar zoon.

Ze zag een aantal gezichten die haar allemaal glimlachend aankeken. 'Paolo.'

Ze drukte hem nogmaals aan haar boezem. 'Nu ben ik gelukkig. Nu kan ik in vrede sterven.'

'Zeg dat niet.'

'Ik meen het. Alles waarop ik heb gehoopt is bewaarheid geworden.'

ᘛᘚ

Toen Teresa die namiddag het avondmaal bereidde, merkte Paolo dat zijn brillenglazen door de warmte besloegen. Hij moest zijn bril steeds weer afnemen en met een slip van zijn hemd schoonpoetsen. En elke keer als hij dat deed, gaf Marco hem lachend een klap op zijn schouder en deed na hoe Paolo met zijn ogen knipperde om iets te kunnen zien.

'Net een uil,' zei Marco, die deed alsof hij een vogel was.

'Plaag hem niet,' zei Teresa en ze waste de mosselen voor hun fettucine.

'Waarom niet? Ik ben gelukkig. *Want mijn zoon hier was dood en is weer levend geworden; hij was verloren en is gevonden.*'

Toen zij zich aan tafel zetten, bleef Paolo een ogenblik bewegingloos zitten, alsof hij zich probeerde te herinneren waar hij was. Hij keek naar de antipasti die voor hem uitgestald stonden: *pomodori coi gamberetti, insalata di mare, trota marinata all'arancio*. Dit was thuis. Hoe het was om weer eens een mand met citroenen of een schaaltje met olijven te zien, de eenvoudige genoegens van het leven dat hij had achtergelaten.

'Vertel,' zei Teresa, 'vertel ons wat je allemaal hebt beleefd.'

Maar hoe kon hij dat vertellen? Waar moest hij beginnen? Moest hij beginnen met het leven in Simones atelier en de speurtocht naar kleur? Of moest hij beginnen met wat hij had geleerd? Wanneer moest hij hun vertellen over Aisja, Chen of zijn recentelijk gevonden gezichtsvermogen?

'Ik heb de droogste woestijnen en de hoogste bergen gezien. Ik heb afstanden gezien die zo groot zijn dat ik dacht dat de wereld oneindig moest zijn. Ik heb de kostbaarste stenen gezien, en de donkerste wateren en de strakste hemels. Ik denk dat ik de liefde heb leren kennen en de dood heb gezien.'

'Vertel op,' zei Marco.

'Er is zo veel te vertellen.'

'We hebben alle tijd,' zei Teresa, zijn bord oppakkend.

Maar Paolo sprak alsof er geen tijd te verliezen was; en hoe meer hij vertelde hoe minder ze hem leken te geloven. Hij sprak te snel, wilde wanhopig alles wat hij had ervaren uitleggen; en zijn ouders zeiden dat hij het wat kalmer aan moest doen, zijn fettucine moest opeten en van de wijn uit Verona moest drinken. Hij hoefde er niet alles tegelijk uit te gooien.

Misschien dachten ze wel dat hij gek was.

En toch was dat ook wat er buiten, in de straten, gebeurde. Paolo wilde spreken alsof hij jaren gezwegen had, maar de mensen tot wie hij sprak begrepen de dynamiek van zijn ervaringen of de kracht van zijn geheugen niet. Hij begreep niet waarom men eerst met alle macht de opgewondenheid van een reisverhaal wilde horen, maar dan zo snel de belangstelling verloor; alsof ze zo voldaan waren over hun eigen leventje dat ze zich niet konden verdiepen in alles wat naar avontuur neigde. Wat leken de mensen traag, wat waren ze weinig veranderd. In nauwelijks twee jaar tijd hadden zijn vrienden een vak geleerd, emplooi gevonden en waren getrouwd. Ze dachten dat ze waren gegroeid en zich geweldig hadden ontplooid; maar ze waren niet zo veranderd als Paolo. En dat hadden ze ook niet in de gaten. Ze herinnerden zich hem alleen nog zoals hij vroeger was.

Hoe minder zij luisterden, hoe groter Paolo's aandrang werd om weer te vertrekken, om slechts als reiziger te leven. Aan de vaardigheden en de kennis die hij had opgedaan had hij hier niets; de wijsheid die hij had vergaard, leek hier van generlei waarde. Alles wat hij had gedaan, elk risico dat hij had genomen, elke handel die hij had gedreven, elk landschap dat hij had gezien, of elk gesprek dat hij had gevoerd, was futiel. De mensen luisterden naar hem alsof hij een reiziger uit een vreemd ver land was die onderhoudend kon vertellen maar wiens verhalen geen zoden aan de dijk zetten of hout sneden.

Hij was een vreemdeling, en hij wist dat hij zich beter op zijn gemak zou voelen in Constantinopel, Herat of Badachshan – overal eerder dan hier.

'Je bent ongedurig,' merkte Teresa ten slotte op.

'Overal waar ik kom, heb ik het gevoel dat ik weer moet vertrekken,' antwoordde Paolo. 'Ik kan nergens blijven. En ik moet terug naar de schilder in Siena.'

'Waarom moet je gaan?'

'Omdat ik een belofte heb gedaan.'

'Wanneer wil je vertrekken?'

'Over een paar dagen.'

'En heb je me verder niets te vertellen?' vroeg Teresa met een glimlach.

Paolo besefte dat ze het had geraden. 'Hoe bent u erachter gekomen?'

'Ik dacht dat ik je moeder was.'

Paolo was zo gewend een defensieve houding aan te nemen dat hij niet wist hoe hij haar zijn verhaal het beste kon vertellen. Hoe zou Teresa dat ooit kunnen begrijpen? Maar ja, als zij het niet kon begrijpen, wie zou dat dan wel kunnen?

En dus vertelde hij haar hoe hij een liefde had gevonden die hij weigerde te vergeten; een liefde die het enige was wat zijn leven betekenis gaf.

'En keer je terug naar haar?'

'Ik kan niet anders. Hoewel ik weet dat ik eigenlijk zou moeten zeggen dat ik gelukkiger ben bij u.'

'Het gaat niet om een keuze tussen ons. Ik ben ouder. En ik heb je teruggezien.'

'Dus u zou me terug laten gaan?'

'Als ik zou weten dat je gelukkig zou zijn. En als het Gods wil is.'

Hij keek zijn moeder aan en voelde toen, voor het eerst, de prijs van de liefde en het offer dat zij had gebracht. Misschien was hij vroeger in staat geweest te vertrekken omdat hij als kind nooit in staat was geweest haar diep in de ogen te kijken of haar duidelijk te zien. Maar nu, gerijpt en met bril, doorzag

Paolo hoe kwetsbaar Teresa was geworden, en dat hij meer van haar hield dan hij ooit had gedaan. Hij vroeg zich af of Aisja hem dat misschien had geleerd – hoe hij van zijn eigen moeder moest houden. 'Ik wil u niet van streek maken.'

'Misschien kwets je me meer als je blijft en je jezelf het geluk ontzegt.'

'Ik weet niet of ik gelukkig zal zijn. Maar ik weet alleen dat ik niet zal rusten voor ik Aisja terugzie en weet wat deze liefde voor betekenis heeft.'

'Dan heb je alleen mijn zegen nog nodig.'

'En heb ik die?'

'Altijd.'

SIENA

Paolo was zo gewend geraakt aan het reizen, het aankomen en het vertrekken dat zijn leven nog steeds aan een droom deed denken. Hij stapte op een paard en reed zuidwaarts via Padua, Ferrara en Bologna en over de uitlopers van de Apennijnen. De boeren waren begonnen de tarwe en de gerst binnen te halen terwijl de vrouwen popelden om de tweede oogst olijven en citroenen te plukken. Overal waar hij kwam op zijn reis naar het zuiden lagen druiven te fermenteren op de daken van de huizen en zette men hem wijn voor: Moscadello, Vernaccia en Vin Santo, geschonken uit vaten van Slavonisch eiken. Wijnhandelaren vertelden hem dat niets de sangiovese druif kon overtreffen; als je die in een kristallen glas tegen het licht hield was de kleur nog voller dan robijnen. Paolo bestudeerde de bloedrode vloeistof, dronk en vervolgde zijn weg, uitkijkend over uitgestrekte panorama's van heuvels, boerderijen, wijngaarden en nederzettingen. Het land was vruchtbaarder dan hij ooit had gezien en rijk bezaaid met olijfbomen, wijnranken en cipressen.

Hij was trots op de pure vruchtbaarheid van het platteland, ver van de schrale hitte van de woestijn of de eindeloze uitgestrektheid van de oceaan. Terwijl hij voortreed, genoot hij van de lucht en de wind, de geur van wilde knoflook, mirre en lavendel; en hij was dol op de wijze waarop de dennenbossen de contouren van de heuvels boven hem weerspiegelden. Elke keer als hij stilhield om te rusten bestudeerde hij het verschoten zilver van hun bast die hunkerde naar het licht. Onder het allerhoogste dak van felgroene bladeren spreidden de takken zich uit in een filigrein van kant, die elke tros dennenappels schraagde en afboog als alle generaties van de wereld.

Hij reed door valleien en wijngaarden, stak de Arno over en reed oostwaarts richting Florence, totdat hij eindelijk de stad Siena duidelijk in de verte zag liggen, gebouwd tegen een helling alsof zij deel uitmaakte van het landschap. Paolo voelde zich merkwaardig op zijn gemak en goedgemutst toen hij zijn andere voormalige tijdelijke thuis terugzag, alsof hij nu geen gevaar meer te duchten had.

Hij zag de kathedraal en de toren van het Palazzo Pubblico, dat zich fier aftekende tegen de horizon en herinneringen opwekte aan de grote Campo, haar hellingen en glooiingen, de paarden die op het marktplein vastgebonden stonden, het gehamer van de hoefsmeden, het geschreeuw van kinderen en de charlatans die de mensen wondermiddelen probeerden aan te smeren. Hij bukte zich om water te putten uit een bron en begon zich af te vragen wat die stad in het verleden voor hem had betekend: haar kracht en sierlijkheid, haar bedrijvigheid, haar bevolking en haar geloof. Hij herinnerde zich het gouden altaarstuk in de kathedraal dat was gewijd aan de Heilige Maagd en de droefgeestige devotie van de weduwen die in het kaarslicht zaten te bidden, hun knokige handen ineengeklemd met de kracht waarmee kinderen vlinders gevangen houden.

Hij herinnerde zich de trots waarmee de jonge mannen door de stad paradeerden en de vendels van elke provincie ophieven en omhoogwierpen op hemelvaartsdag en hoe het doek zich tegen een strakblauwe hemel ontvouwde op het geluid van de trommels.

In het avondlicht zag Paolo hoe vrouwen uit hoge ramen hun kinderen riepen, terwijl de zwaluwen over de Campo scheerden. Hij kende deze plek: de vastheid van haar stenen, de geur van de aarde en de verf, de rook van brandend hout onder de smeltoven van de smid, zweet en paarden, de overvolle straten die leegliepen als de avond viel.

En toen hij het atelier naderde herinnerde hij zich de absurditeit van Simones fluwelen wambuizen en de wijze waarop hij zichzelf met rozenwater besprenkelde tegen de stank van de straten, zijn hoofd hoog geheven hield; en hij herinnerde zich hoe gemakkelijk het was zulke ijdelheid te vergeven vanwege Simones levenslust, zijn spontane glimlach en zijn omhooggekrulde mondhoeken als hij lachte. En nu, met zijn bril op, zou hij in staat zijn die glimlach te zien dagen.

Toen hij de smalle binnenplaats van het atelier naderde, drong het tot Paolo door dat als er één persoon was die hij dolgraag wilde terugzien dat Simone wel was. De schilder zou in zijn nopjes zijn, trots zelfs, zonder ooit te vermoeden wat die reis voor hem had betekend.

Paolo bleef staan en ademde langzaam uit, genietend van het ogenblik, om dit gevoel van voldoening, het einde van de reis, zolang mogelijk te rekken. Hij besefte dat hij gelukkig was, hier, in deze stad, nu hij de lapis lazuli naar zijn vriend toebracht.

Nu kon hij de panelen van populierenhout zien die onder overhangende dakranden lagen, de zakken ongebluste kalk, de kruiwagens, de emmers en de flessen, het werk in uitvoering.

Hij meende een stem te horen die om pigment vroeg, en ontwaakte uit zijn dagdroom, bang dat hij betrapt was toen hij daar stond te wachten, alsof hij iets verkeerds had gedaan. Hij deed de deur van het slot en duwde hem open om zichzelf een blik te gunnen in zijn vroegere wereld, een atelier vol verf en goud.

Rechts van hem zag hij Simone gebogen over een serie kommetjes, waarvan hij de inhoud inspecteerde en elk korreltje nauwkeurig onderzocht. 'Wat een schitterend vermiljoen,' riep hij uit.

Paolo zag dat Simones haar tot een bijna belachelijke lengte was gegroeid, dat hij een pigmentvlek op zijn rechterwang had, wellicht groenaarde, en dat zijn handen nog verfijnder waren dan hij zich kon herinneren.

Hij keek toe en wachtte. Toen slaakte een van de hulpjes een kreet.

'Paolo.'

Eindelijk keek Simone op. Gestoord in zijn concentratie, was hij bijna geërgerd, alsof hij zijn voormalige leerling even totaal vergeten leek te zijn. Paolo zette zijn knapzak op de grond en spreidde zijn armen uit. Simone stond zonder een woord te zeggen op van zijn stoel en liep door de kamer naar hem toe om hem te omhelzen.

'Waar ben je toch geweest, jongen? Ik heb het werk bijna af.'

'Ik heb gereisd naar de andere kant van de aarde.'

'En je hebt het er toch levend afgebracht.'

'Zeg dat wel.'

Simone kon het nauwelijks geloven. Paolo vroeg zich af hoe lang het zou duren voor hij naar het gesteente zou informeren. Hij wilde wachten, maar besefte dat hij zich niet kon inhouden. 'Ik heb het gevonden.'

De schilder keek verbaasd, weifelachtig. 'En wat heb je dan wel gevonden?'

Even stond Paolo versteld. Hij kon het waarachtig toch niet zijn vergeten? Of maakte hij een grapje?

'Het gesteente. Het blauw.'

Simone bracht quasi-verbluft zijn hand naar zijn hoofd en deed alsof het hem opeens weer te binnen schoot. 'Heb je het werkelijk? Laat het me dan eens zien,' riep hij uit. 'Maar wat heb je daar op je neus?'

'Dat komt later wel.'

'Nee, vertel het me nu, vertel me alles.'

Paolo maakte zijn knapzak open en haalde er een brok lapis uit. 'Kijk.'

Simone pakte het op. 'Is dit het?'

'Zeg dat niet op zo'n teleurgestelde toon.'

Simone probeerde er met zijn vingernagel overheen te krassen om de duurzaamheid ervan te testen. Toen hield hij het in het licht. 'Net azuur, maar dan lichter.'

'Nu lijkt het lichter, maar ik weet dat de kleur in intentie kan variëren,' zei Paolo. 'Ik heb het gezien als het vermalen is en als het gepolijst is. Dit is geen azuurblauw of indigo doch het blauwste blauw dat je je kunt wensen. We zullen steen vermalen tot pigment en schilderen voor de eeuwigheid.'

'Ik zie het zilver in het blauw, en het goud. Maar de steen lijkt nogal kalkachtig. Moet je dat wit zien.'

'Verbrijzel het. Was het. En scheidt het. Vermeng het vervolgens met tempera. De kleur is niet wat ze schijnt.'

'Denk je?'

'Vertrouw maar op mij.'

Simone legde het stuk lapis in een bronzen vijzel die hij vervolgens afdekte om te voorkomen dat er stof zou ontsnappen. Hij pakte een zware stamper en hakte in op het gesteente, zodat het in kleine scherfjes blauw brak die waren dooraderd met zilver en goud. Toen bracht hij die stukjes over naar een kleinere vijzel en verpulverde het gesteente tot het klaar was om te worden gezeefd.

'Het moet zo fijn mogelijk worden vermalen, fijner nog dan meel. We moeten zorgen dat het duurzaam is.'

Hij hield een zeef boven een koperen schaal en kiepte het mengsel erin en liet het poeder neerdwarrelen, blauw op goud. Hij herhaalde die handeling viermaal, verpulveren en zeven, verpulveren en zeven, de kleur lokkend, alsof hij op zoek was naar het hart van de steen. Zij zouden ultramarijn creëren – zeeën, hemelen en de eeuwigheid – alsof het de laatste kleur was die op aarde ontbrak.

Simone pakte een andere schaal en hield die boven een zacht vuurtje. Hij vroeg Paolo voor elke pond lapis lazuli honderdzestig gram grenenhars, tachtig gram gommastiek en tachtig gram nieuwe was af te wegen. Die werden bij elkaar gedaan, geroerd en vermengd boven het vuur, totdat ze smolten.

'We maken verschillende porties en combineren elk mengsel met het verpulverde gesteente,' zei Simone. 'Terwijl het afkoelt beginnen we aan de volgende.'

Ze gingen door met het beuken en het breken van de kleur om het blauw te laten opkomen. Zodra het gommastiekmengsel was afgekoeld goten ze het door een witte linnen doek in een glazen spoelbak. Simone vroeg Paolo zijn handen in te smeren met lijnzaadolie en het lapispoeder en de gommastiek samen te kneden tot een soort deeg, alsof het blauw niet minder dan het brood des levens was. Ze kneedden en kneedden en lokten de kleur naar boven, en lieten het violet dat haar hart vormde ontluiken.

Toen voegde Simone er een warme kom alkalinewater en plantaardige as aan toe. Dit was de loog. Hij begon het deeg te stompen en te kneden en zijn handen zagen eruit alsof er blauw bloed uit vloeide.

Toen de loog was veranderd in het diepste ultramarijn, goten ze de vloeistof over in een andere kom en begonnen opnieuw.

'Laten we eens zien hoeveel we kunnen maken. Neem zeven kommen,' zei Simone. 'Plaats die naast elkaar. We gieten zoveel mogelijk loog als we kunnen in de eerste schaal, laten die blauwen en decanteren die vervolgens in elk van deze kommen. Daar gaan we mee door tot het blauw is uitgeput. Ik veronderstel dat de eerste wassing ook de donkerste kleur oplevert.'

'Wanneer zal het klaar zijn?' vroeg Paolo.

'We moeten geduld oefenen. Vergeet niet dat dit een feestdis is, een kleurenbanket. Het vergt tijd en het mag niet bederven. Het blauw dringt door de loog en zal op de bodem van elke kom bezinken. Als dat eenmaal gebeurd is, gieten we het vocht af en verzamelen het pigment. Pas als het is opgedroogd kunnen we de eidooiers eraan toevoegen en de tempera maken om mee te schilderen.'

'Denkt u dat het zal werken?'

De schilder glimlachte. 'Ik heb nog nooit zo'n kleur gezien. Waar heb je hem gevonden?'

'Er was een vrouw,' antwoordde Paolo. 'Ze kon meer kleur onderscheiden dan wie dan ook. Ze kon de kleur tussen twee kleuren voelen.'

'Kon ze kleuren horen?'

'Kunt u dat?'

'Soms denk ik dat ze kan proeven.'

Toen het ultramarijnpoeder eindelijk klaar was, brak Simone een ei, scheidde de dooier van het eiwit en begon het poeder er doorheen te mengen door de pasta voortdurend met een mes door elkaar te scheppen. De gouden eidooier bracht het ultramarijn tot leven en transformeerde het tot een diep, eeuwig, stralend, rijk blauw met een oneindige densiteit.

Nu leken alle herinneringen aan Aisja tegelijkertijd bij Paolo terug te keren. De eerste keer dat hij haar zag, het gesteente en de berg; haar ogen, haar haar en haar lach als zilver. Hij haalde zich haar stem voor de geest, toen ze hem riep, toen ze hem vertelde dat alles goed zou komen. Was het de laatste stem? Ja, dacht hij nu, dat is het, het is de enige stem.

'Ik moet het aan de mannen laten zien,' zei Simone. 'Zo gaan we de hemel schilderen.'

Ze staken het plein over en betraden het Palazzo Pubblico en liepen de grote marmeren trappen naar het Consiglio della Campana op. Een groot schavotachtig bouwsel onttrok een groot deel van de oostelijke muur waaraan Simones assistenten werkten, aan het gezicht. Onder het fresco was een man bezig met het verkruimelen van ongebluste kalk. Een jongen droeg emmers water een ladder op en begon de muur te bevochtigen ter voorbereiding van het pleisterwerk van die dag; een ander stond eieren stuk te slaan voor de tempera; terwijl de verfmaler pigmenten begon te mengen tot gebruiksklare kleuren: malachiet, Spaans groen, krijtwit en *giallorino*.

Paolo keek naar de halfvoltooide Maestà, de Heilige Maagd en het Kindeke omringd door heiligen en engelen aan het Hemelse Hof. Het fresco was niet zomaar geschilderd maar ook uitgehouwen en voorzien van gekleurd glas en in reliëf uitgevoerde delen. Simone had erop gestaan dat het glas direct in het pleisterwerk werd aangebracht als juwelen van de Heilige Maagd en het Christuskind.

De assistenten streken de kalk glad over het onderliggende patroon, net genoeg om het schilderwerk van die dag te bedekken, en Simone begon aan het gezicht van Paulus te werken.

Hij balanceerde drie schoteltjes op een laag krukje die elk een andere pas aangemaakte kleur bevatten en begon aan de halftinten in het gezicht, de handen en de voeten. Toen accentueerde hij de schaduwen en liet hij de ene kleur in de andere overgaan. Toen hij klaar was, richtte hij zijn aandacht op de wenkbrauwen, het reliëf van de neus, het puntje van de kin en het ooglid.

Terwijl Simone schilderde, herinnerde Paolo zich hoe Aisja het stof uit zijn ogen had geveegd.

Hij keek naar het fresco van de Heilige Maagd die met treurnis en liefde de wereld inkeek en van beide de geheimen en hun eindigheid kende.

Links van haar troon stonden de Heilige Catherina van Alexandrië, Johannes de Evangelist, Maria Magdalena en twee aartsengelen, Gabriël en Paulus. Rechts stonden de Heilige Barbara, Johannes de Doper, de Heilige Agnes en de aartsengelen Michaël en Petrus. De vier schutsheiligen van Siena zaten geknield aan hun voeten: Ansanus, Savinus, Crescentius en Victor, vergezeld van twee engelen die rozen en lelieën aan Maria en het Kindeke aanboden, opgesteld onder een ceremonieel zijden baldakijn.

De mensen op het schilderij waren verstild, hun levens opgeschort in de grote nasleep van de tijd, geworteld in de eeuwigheid. Dit was de beloning van het geloof, dacht Paolo, een eeuwigdurend ogenblik van harmonie en sereniteit, onveranderlijk, altijd in ruste, niets minder belovend dan de zekere hoop op wederopstanding. Terwijl hij keek naar de onbewogen gestalte van het Christuskind, wist hij opnieuw dat zijn leven, dat hij leefde van moment naar moment, weinig om het lijf had in het licht van zo'n vooruitzicht. Misschien hadden Salek en Jacopo wel gelijk dat ze hun gehele leven één voet in de hemel hadden gehad en vreesden dat zij hun plaats voor eeuwig zouden moeten prijsgeven als ze die voet ooit zouden verzetten.

'En nu, de hemel,' riep Simone uit. 'We moeten de verf *a secco* opbrengen, nadat de pleisterkalk droog is. We mogen niets verspillen.'

'De Maestà verschilt van alles wat ik ooit eerder heb gezien,' zei Paolo. 'Zulk een overweldigende verstilling.'

'En zo hoort het ook,' antwoordde Simone. 'Eeuwige sereniteit, een einde aan alle lijden.'

De late zon scheen door de zuidelijke ramen en bescheen de juwelen in Christus' aureool, de broche op Maria's borst en het maaswerk achter hen. Het schilderij begon te sprankelen, want het onthulde in de loop van de dag verschillende geheimen en weerspiegelde de opkomst en ondergang van het licht dat er altijd was en tegelijkertijd steeds anders was, een voortdurend veranderende gloed van goud.

Paolo overhandigde Simone de kom met ultramarijn en keek hoe hij de eeuwigheid uitsmeerde over de muren. Hij had zijn taak volbracht.

Zo behoort de liefde te zijn, dacht hij: een geweldige kleurenlaag op het blanke pleisterwerk van ons leven.

Hij vulde zijn hoofd met het blauw en herinnerde zich hoe hij naast Aisja had gezeten en had gekeken naar de donker wordende hemel.

De schilders werkten door; toen de avond viel bij het licht van kaarsen.

Paolo liep naar buiten, de Campo op, zette zijn bril af en liet zijn ogen rusten in het tanende licht. De eerste sterren dienden zich aan de hemel aan en de lucht was penetranter geworden. Het plein was nagenoeg verlaten: een priester keerde huiswaarts, een herbergier verzorgde zijn paarden, in de verte huilde een baby.

Hij dacht na over zijn leven: de dagen die zo lang waren en de jaren die toch zo kort waren. Wat wachtte hem nog? Als hij in Siena bleef, zou zijn leven alles kunnen worden wat hij zich er ooit van had voorgesteld: verf, goud, ultramarijn; de zekerheid erbij te horen.

En toch viel die geborgenheid in het niet vergeleken met de passie van de liefde.

Paolo overwoog hoe het zou zijn om nogmaals te vertrekken, opnieuw te beginnen en zijn laatste belofte in te lossen. Hij wist dat de waarheid van zijn genegenheid machtiger en volhardender was dan de knusheid van thuis. Hij had haar afwezigheid op de proef gesteld en ondervonden dat zijn leven zonder haar waardeloos was.

Gescheiden van Aisja doorleven was onmogelijk. Hij zou naar haar toe gaan en zich aan haar verbinden.

En hij zou haar kind opvoeden.

Zijn leven was leren lief te hebben.

SAR-I-SANG

Hij zag Jamal eerst. Hij speelde met zijn katapult en schoot steentjes terug in het water.

De jongen keek op, zag Paolo en hield aarzelend op, alsof hij hem zich maar gedeeltelijk herinnerde. Hij kneep zijn oogleden samen tegen het licht. Toen draaide hij zich om en krabbelde over de puinhelling en losse stenen van de berg.

Paolo bleef beneden staan en wachtte af.

Eindelijk zag hij moeder en zoon uit hun tent tevoorschijn komen: uit het duister en in het licht.

Aisja legde haar rechterarm op de schouder van haar kind.

Samen keken zij op hem neer en glimlachten.

Dat is mijn gezin, dacht Paolo. Dit is mijn leven.

HISTORISCHE NOOT

De belangrijkste inspiratiebron voor dit verhaal was het merkwaardige samenvallen van de toepassing van ultramarijnblauw (hetgeen de ontwikkeling van het landschap, het perspectief en de diepte in de Italiaanse schilderkunst bevorderde) en de uitvinding van de bril.

De Maestà kan nog steeds worden bezichtigd in het Palazzo Pubblico in Siena. Het is gedateerd op 7 juni 1315 en Simone Martini kreeg voor zijn inspanningen een beloning die in totaal 81 lire en 4 soldi bedroeg.

De lapis lazuli-mijnen van Badachshan (tegenwoordig het noorden van Afghanistan) worden genoemd in Marco Polo's *Reizen* en zijn voor het overgrote deel van de Renaissance de belangrijkste bron van ultramarijnblauw. De kleur was de ultieme weelde, kostbaarder nog dan goud, en werd uitsluitend gebruikt voor de meest somptueuze details van het schilderij, met name voor de mantel van de Heilige Maagd. Toen de Florentijnse schilder Domenico Ghirlandaio in 1485 de opdracht kreeg een Aanbidding van de Wijzen te schilderen werd in zijn contract nadrukkelijk bepaald dat 'het blauw moest zijn van ultramarijn ter waarde van vier florijnen per 28 gram'.

De beste vroege beschrijving van de wijze waarop de kleur wordt onttrokken aan de lapis lazuli is te vinden in *Het Handboek van de ambachtsman* van de hand van Cennino Cennini, dat in 1437 werd voltooid.

De precieze datum waarop de bril in Italië werd geïntroduceerd is onbekend, maar op 23 februari 1306, hield Fra Giordano di Rivalto een preek in de kerk van Santa Maria Novella in Florence, waarin hij opmerkte: ‘Het is nog geen twintig jaar geleden dat de kunst van het glazenslijpen, een van de nuttigste kunsten op aarde, wordt uitgeoefend...’ Dat zou de komst van de bril plaatsen rond 1287, hetgeen aardig overeenkomt met Marco Polo’s verwijzing naar het gebruik van een bril door oudere mensen in China.

Vroeg Italiaanse brillenglazen werden niet gemaakt door lenzenslijpers, maar door de *cristallieri*, een bloeiende branche binnen de orde van Venetiaanse goudsmeden, die zich vooral hadden toegelegd op het werken met kwarts of bergkristal. Dit werd gevormd en gepolijst als een vergrootglas om bolvormige lenzen te vervaardigen die verziendheid corrigeerden. Deze ‘leesstenen’ waren enkelvoudige lenzen, gevat in een montuur van hoorn of been. Met de uitvinding van het dubbele montuur, waarschijnlijk in Florence in de jaren negentig van de dertiende eeuw, kwamen de ‘oogcilinders’ in zwang.

Omdat de eerste brillen voornamelijk werden gebruikt als hulpmiddel bij het lezen werden zij al snel het symbool van geleerdheid en wijsheid. Tommaso van Modena voegt een bril toe aan zijn portret van de dominicaanse kardinaal Hugo van St. Cher, in Treviso in 1362; terwijl St. Hieronymus een bril heeft bungelen aan zijn katheder op Ghirlandaio’s schilderij uit 1480. Op een Heidelbergs miniatuur uit 1456 is een briljant voorbeeld van een anachronisme te zien: zelfs Mozes draagt een bril.

De ontwikkeling van holle lenzen tegen bijziendheid verloopt uitermate problematisch, en men neemt algemeen aan dat het nog zo’n 150 jaar duurde voor die werden gerealiseerd. Waarom het zo lang duurde voor brillenmakers zich realiseerden dat als een bolle lens verziendheid corrigeerde een holle lens wel eens bijziendheid kon verhelpen blijft een raadsel. Het zou te wijten kunnen zijn aan de problemen bij de vervaardiging. Een lens slijpen die in het midden dunner is dan aan de randen is geen sinecure. Het zou ook kunnen liggen aan de noodzaak van geheimhouding. Lenzen vertekenen een normaal gezichtsvermogen en zouden kunnen worden beschouwd als ketterse toevoegingen aan man en vrouw, zoals God hen had geschapen en bedoeld. Vergrootglazen zijn acceptabel voor wetenschappers omdat zij een hulpmiddel zijn bij de bestudering van Gods woord. Maar holle lenzen om het zicht in het algemeen te verbeteren, wekten achterdocht. Zelfs tegen het einde van de negentiende eeuw waren er nog oculisten die geloofden dat het gebruik van een bril met holle lenzen het oog zou kunnen misvormen (zie A. Sorsby, *A Short History of Ophthalmology*, tweede druk, Londen en New York, 1948, blz. 73).

Misschien is het geheim verloren gegaan. Het lijkt in ieder geval vreemd dat een holle spiegel door Euclides in de derde eeuw voor Christus kon worden beschreven en dat de Chinezen al in de eerste eeuw voor Christus in staat waren zowel bolle als holle spiegels te maken. (David Hockney vergelijkt het met het verlies van het geheim van beton, dat bekend was aan de Egyptenaren en de Grieken, maar tussen 430 en 1744 'verdween').

Het lijkt mogelijk dat holle lenzen al vroeger dan de vijftiende eeuw bekend waren. De Chinese schrijver Shen Kua, bijvoorbeeld, refereert al in 1086 aan hol gebrande spiegels; en zowel Alhazen als Roger Bacon was op de hoogte van dit effect.

Vincent Hardi heeft (in *Renaissance Quarterly*, deel 29, najaarsnummer 1976, blz. 341-60) aangetoond dat aan het einde van de vijftiende eeuw brillen konden worden gevonden die aan de meest elementaire behoeften (afgezien van astigmatisme) voldeden. In *De Beryllo*, geschreven in 1450, beschrijft Nicolaas van Cusa beril als een 'kleurloze, klare en transparante steen die zowel een bolle als een holle vorm kan aannemen; wie er doorheen kijkt ziet wat voorheen onzichtbaar was'.

Brillen worden vaak ingedeeld naar de leeftijd van de drager, aangegeven met tussenpozen van vijf jaar, van de leeftijd van dertig (hol, myopisch) tot de leeftijd van zeventig (bol, presbyopisch). Tegen 1462 bestelt graaf Francesco Sforza uit Milaan allerlei soorten brillen in Florence ('één dozijn die geschikt zijn om ver te zien, voor de jongeren; en nog een [dozijn] die geschikt zijn om van dichtbij te zien, en die zijn voor de ouderen; en een derde [dozijn] voor normaal zicht').

Het feit dat mensen zelfs brillen bestellen voor normaal zicht toont aan dat er in 1462 al enkel voor de show brillen worden gedragen, en dan hun fluctuerende opmars als modeaccessoire aanvangen. Ik vind dat nog steeds buitengewoon: maar ik ben dan ook een van die bijziende types die zijn opgegroeid met een fondsbrilletje dat bijeen werd gehouden met een stukje doorzichtig plakband. In de jaren zestig en zeventig droeg dat nu niet bepaald bij aan een aantrekkelijk uiterlijk. De broer van mijn eerste vriendinnetje zei ooit: 'Ik geloof nooit dat hij iets voorstelt. Ik durf te wedden dat hij rood haar heeft en een brilletje draagt.' Hij had me niet treffender kunnen beschrijven.

DANKBETUIGING

Ik ben veel dank verschuldigd aan dr. Peter Carter die mij voor het eerst vertelde over de betekenis van ultramarijnblauw. Nick Sayers, mijn redacteur, moedigde me aan het oorspronkelijke idee uit te werken en daar zal ik hem altijd dankbaar voor blijven. Bridget Kendall vestigde mijn aandacht op John Simpsons reportage voor *Newsnight* over de Sar-i-Sang lapis lazuli-mijn in Afghanistan, en ik ben geïnspireerd door Patricia Wheatley en Jamie Muirs werk met Neil MacGregor in zijn BBC televisieserie 'Making Masterpieces'.

Heel wat mensen zijn me bij het schrijven van dit boek behulpzaam geweest en degenen die ik graag met name wil bedanken zijn: Cecilia Amies, Peter en Diana Balfour, Jane Barringer, Mark Brickman, Stewart Conn, Nici Dahrendorf, David Godwin, Patrick Hughes, Marilyn Imrie, Lisa Jardine, Gabriele Jordan, Rosie Kellagher, Emily Kennedy, Olly Lambert, Allan Little, Juliette Mead, Fergus Meiklejohn, Jamie Muir, Susan Opie, Robert Roope, Charlotte Runcie, Tom en Sue Stuart-Smith, Jo Terry, Nigel Williams en Caroline Wright.

Envoie

Uit *Een aan de liefde gewijde sonnettenkrans*

Waar moet ik heen in dit vreemd labyrint?
Aan alle kanten wenken wegen zonneklaar:
Sla ik rechtsaf dan brandt mijn hart gezwind;
Loop ik rechtdoor dan loert ook daar gevaar;

Kies ik voor links, bekruipt mij argwaan,
Keer ik weerom, is 't schaamte die mij vindt
Ik mag niet dralen, kan niet blijven staan;
Zo vind ik nimmer wat mij 't liefste zint;

Wat zal het of ik links of rechts afsla;
Voortga of op mijn schreden terugkeer
Mijn keuze is mijn keuze voor en na
En zonder hulp of raad van enig heer.

Doch wat mij mijn gevoel het meeste raadt
Is alles los te laten voor de liefdesdraad.

Naar *Pamphilia aan Amphilanthus* van
Lady Mary Wroth (1586-1651)